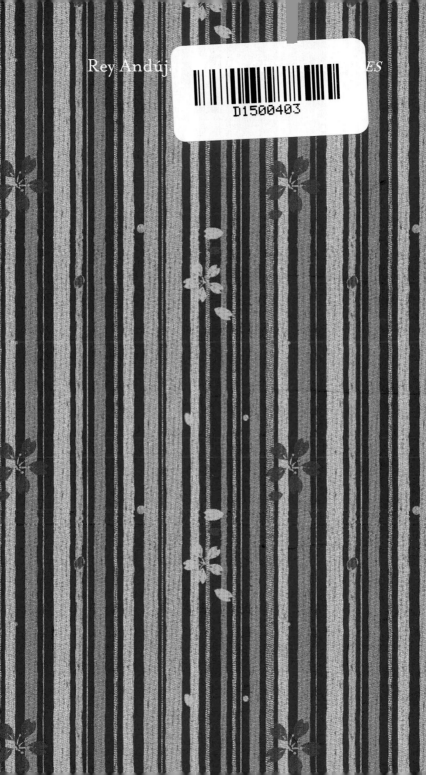

Rey Andúj... ...*ES*

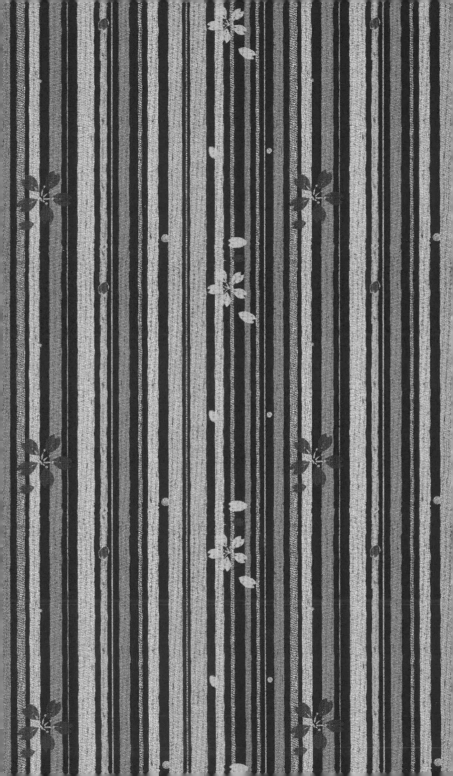

Los gestos inútiles

Rey Andújar

PREMIO LATINOAMERICANO DE NOVELA
ALBA NARRATIVA 2015

CIELO NARANJA

Esta novela mereció en el 2015 el Premio Latinoamericano de No-
vela Alba Narrativa, por un jurado formado por:
Lourdes González (Cuba)
Daniel Ferreira (Colombia)
Mónica Ojeda (Ecuador)
Primera edición: EDITORIAL ARTE Y LITERATURA, La Habana,
Cuba, 2015.
Edición dominicana: © EDICIONES CIELONARANJA, 2016.

Editor asociado y fotografía de la contraportada:
Nelson Ricart-Guerero
Foto de la portada: Christian Vauzelle
Diseño: Aurelio Ross

Para comunicaciones:
webmaster@cielonaranja.com

Visita nuestra página en la red:

www.cielonaranja.com

ISBN: 978-9945-08-678-2

Para Caro Andújar

El miedo me cundió. Miedo de calidad. Del que sobresalta si te tocan la puerta. Del miedo que se hermana al temblor si el teléfono llama.

Luis Rafael Sánchez.
LA PASIÓN SEGÚN ANTÍGONA PÉREZ.

Death upset everything.

Philip Roth.
LETTING GO.

UNO

EL NEPTUNO
DEL CANAL DE LA MONA

Pasa siempre. Está uno dándole de comer a los tiburones cuando rompe el teléfono una, cuatro largas veces hasta que la grabadora responde en un tono que llamantes anteriores han definido como seco y aburrido. El mensaje es de una de mis hermanas. Menciona el cumpleaños de mi sobrino y no me he pronunciado con felicitaciones. Se me ocurre que el niño tiene qué sé yo, siete años y no habla español, no habla inglés. Habla holandés. Detrás del mensaje existe una intención, buena en el fondo. Imagino lo justo: la madre empujando al imberbe hacia el aparato con una mano y en la otra, un portarretrato. En esa foto ella tiene los ojos chuecos y una sonrisa de dientes; los brazos cerrándose en mi cintura, buscando proteger o ser protegida. El niño balbuceará dos cosas antes de volver a pasar el teléfono a la madre, abandonándola en el centro de la histeria.

El mensaje: «la Navidad se acerca y en Holanda el invierno se declara temprano. Imagínate que empezó a nevar el mismo primero de diciembre; es como si el cielo quisiera dejar bien claras las cosas». El horizonte Caribe comienza a enrojecer de tiburones. Bestias interesantes; tienen un decisivo sistema de dientes-encías-mandíbulas. Dejo caer el último pedazo de carne y lo ignoran; dibujan una estela de sangre y luego regresan virados, cerrando las fauces de tal manera que el agua salpica. Me seco las manos y vuelvo a activar la máquina para escuchar las estridencias de mi hermana, las dos palabras que intenta escupir el infante. Desde mi balcón un globo rojo naranja muerde la panza del océano. Mi hermana repite que en Den Haag ya es-

tá haciendo un frío que promete craquear en dos la ciudad. Pronostican la peor nevada en décadas. Tanto los turistas como los caribeños ausentes sueñan con este clima navideño y toneles de cerveza exagerándose en las calles. Estoy en el Caribe y debería estar radiante. Así nos imaginan en Europa: una comparsa a la deriva, jardín sedoso negando ancla; ron y mujeres y merengue y estupefacientes. Los tiburones apresan la carne con cadenas de incisivos que se deslizan a través de las mandíbulas, sierran con movimientos laterales para cantear el trozo y luego glup. Mi hermana no puede creer que me haya olvidado del cumple. «Te mandé un mensaje por Facebook». Lo dice como si el mundo fuese a acabarse, con la certeza. Los tiburones huelen la sangre y el sol termina por hundirse. Aquí será Navidad y el calor y la humedad no darán chance.

Vuelvo a poner el dedo en la tecla por tercera vez y decido devolver. Marco el número con parsimonia, escucho un timbre largo y me pongo el móvil al lado del corazón. Una voz alterada clama «Aló» un buen par de veces pero la sinvergüencería vence al miedo y cancelo la llamada.

Lanzo el teléfono a los tiburones.

EMETERIO DE GONÇALVES
El Neptuno
del Canal de la Mona.

El doctor Daniel Beltrán repite el mensaje, ahora a todo volumen. Escucha la voz, que sin temblores habla de conjugar escualos, de la reminiscencia. Se maravilla por la aparente simpleza del relato queriendo identificar alguna coherencia en el recuento atropellado de las cosas de Lubrini. Lubrini y las lecturas. Lubrini lugar y revuelta. Locura para morder y quedarse.

El doctor recurre a la mano que tiembla menos para alcanzar un cigarrillo; vira hacia la derecha para recibir el fuego de otra mano. Gracias a un delirio tecnológico el mensaje de Lubrini se repite desde el teléfono por las bocinas. Beltrán aguanta un puño de humo en la cabeza del torso, cierra los ojos. Un disparo. Poco después, otro.

De perfil al espejo empañado Jonás Marthan busca aplacar el exceso de grasa instalado en la cintura. Retoma el control de sus pensamientos. Deja caer un tanto la bata para admirarse los propios hombros redondos a fuerza, el pecho cerrado, los bíceps vivos. Con la imagen clara, ampliada gracias a la fosforescencia del baño, compone una oración que habla de panzas y flacidez. Entonces el sonido del timbre lo arranca de la desidia. Tropezando se ajusta la bata y pregunta, «¿Quién?». Vuelve a interrogar ya con la oreja pegada en la puerta. Una voz de mujer justifica la interrupción diciendo que es del *Room Service*. Al hombre le cuesta un mundo abrir. La mujer, entrenada en la industria del servicio, es toda sonrisa y paciencia. La puerta abre por fin y una cabeza perfectamente afeitada sobresale por la rendija. La empleada dice, «Con permiso». «Adelante», contesta el hombre con un gesto. «Qué vista bonita», exclama la mucama, agotando internamente el listado de cosas que debe decir a los huéspedes.

—¿El señor desea desayunar al lado de la ventana? —La mujer propone sin nivelarle la mirada. Jonás Marthan tarda en contestar.

—Doctor.

—¿Perdone? —Replica la mujer. Confundida. La sonrisa decayendo.

—*Doctor* Marthan. No, *señor.* Deje lo que ha traído y váyase.

La mujer no se entera pero le cuesta unos minutos largos moverse. El doctor Marthan observa las tostadas, los huevos revueltos cubiertos con una lámina de plástico; los vasos con zumo de toronja, también cubiertos. Con un movimiento al garete la mujer pierde el balance y susurra «Cómo no señor», a esto siguen una pausa y la presurosa corrección, «Perdón. *Doctor*». Se dispone a dejar la habitación. Jonás la alcanza antes de que se escape. La mujer voltea. El doctor ahora extiende la mano con un billete de cien. El cálculo se hace rápido. Cien pesos no son ni siquiera tres dólares. Ambos lo saben. La mujer descubre en este gesto la oportunidad de recobrar algo de decencia, de dar sentido a la dicotomía que tanto escuchó de niña: *Pobres pero honrados.*

—No es necesario *doctor.* La propina está ya incluida.

Jonás Marthan mantiene el brazo alargado. Un aspa de mimbre.

—Tenga.

Es inevitable que vuelvan a mirarse. La mujer cede. Cien pesos son cien pesos.

Mientras el doctor espera por el vehículo alquilado no puede evitar la conversación de las mujeres en la recepción. Todo gira alrededor de la Navidad y un secreto juego de regalos. Las bocas son amplias y de dentadura perfecta. Para trabajar en el *Front Desk* de un hotel de tantas estrellas con verse bien no basta. Las muchachas tienen que ser dueñas de cierto toque exótico. Aquí las trigueñas llevan la delantera; de alguna manera hay que vender Caribe, eso es lo que regresa buscando la Europa que agota arcas de ahorros para cumplimentar el anhelo de calor que se cuece en invierno y que garantizan las oficinas de turismo. Para el viajante todo debe ser idéntico a lo que ofrecen vallas y postales. Según el presidente Napoleón Mirabal, en sus viajes de venta y mercadeo por el extranjero, Santo Domingo *es* el secreto mejor guardado del archipiélago.

Jonás Marthan espera por el vehículo alquilado: una Land Rover. Está en Santo Domingo para resolver los asuntos que lo sacaron de un otoño agonizante en Barcelona y terminaron por empujarlo a la mediaisla que conseguía olvidar sin esfuerzo. Pudo haber tomado un taxi pero Marthan no es un hombre que se deje conducir en ningún sentido del verbo.

El impecable último modelo se desplaza ahora por entre el tráfico mañanero. Su sola presencia desafía todo sentido común pero es sabido que si Alicia fuese desalojada de su reino, en Santo Domingo podría sentirse como en casa. Otra cosa que se inculca desde la niñez: *La República Dominicana es el país de las mil maravillas.*

Adentro, protegido por el aire acondicionado, Marthan se deja perturbar por un juego de adivinanzas. ¿A qué huele la ciudad? ¿Cuáles son sus ruidos? Sacude la cabeza una, tres veces. Organiza sus pensamientos recalculando los pasos a ejecutar para salir de ese país inmediatamente. La muerte de Daniel Beltrán es un escombro para su rutina. Cuando recibió la noticia procuró alejar la palabra resignación de todo el espectro, limitándose a elaborar un proyecto infalible para entrar y partir. La diligencia en la ejecución marcaría la diferencia. Mientras más rápido desenredara la traba, más efectivo sería el escape.

La primera parte del plan era verse con el doctor Gideon Ilsset, director de Patología Forense, en los sótanos del Palacio de la Policía Nacional.

≋

Puerto Rico empezó a ser lo que Puerto Rico *tenía* que ser desde que Lubrini conoció a Helfeld. La tarde anterior al viaje, a la ausencia de un televisor, hablaban de fantasmas. Helfeld andaba muy seria. Desde ahí, sin darse con tres piedras en el pecho dijo, «Esto es una verdadera mierda, Lubrini, no estoy jugando».

Hace una semana un tipo entró y les afanó el televisor. Desde ese momento entre Helfeld y Lubrini la vida se dividió en furiosas peleas y estados de agresiva pasividad. Lubrini dejó la puerta del balcón de par en par; el ladrón: un tecato que entró a muela batiente levantando el televisor como si estuviese en una tienda por departamentos y *babay*. Sin televisor Helfeld está triste, siempre en fuga, medio tono, por abajo. Les asalta el comentario, «Pero el cabrón no se llevó el control... quién, en su sano juicio, se roba un televisor y deja el control».

Lubrini llegó a Puerto Rico con una confusión seria. Como un paquete de rescate o refugio de un país al borde de la desgracia. Literalmente. Llegó desde un Santo Domingo posthuracanado. *Cuando dejé Santo Domingo no habían bajado las aguas del diluvio. Yo no iba a quedarme allí como la prole de Noé mirando de puntillas sobre el arca... no señor. Vine a Puerto Rico a resolver con un clima mejor. Vine a Puerto Rico porque en Nueva York nadie resuelve nada. Lo digo por una parte de mi familia que se fue para allá mucho antes del ciclón y no ha podido levantar cabeza. En Holanda podría estar mejor pero no hay manera de conseguir ese pasaje, al menos no por ahora. Entonces Puerto Rico fue pues; y empezó a ser mucho más cuando una noche de luces tenues en la suerte de patio español que es la Plaza de Armas escuchábamos una banda que tocaba danzones.*

Decidimos en acuerdo mutuo bailar aunque no supiésemos las cosas básicas de esas danzas. La piel de Helfeld en ese entonces era blanca con rayas de papel. Media hora después estábamos en la falda del Morro sacando encendedores y demostrando lo que éramos y cómo habíamos decidido pasar la vida. Llegué a Puerto Rico porque en Santo Domingo no había nada que buscar. Las ratas abandonando. La náusea se hizo presente. Malditos Lugares. *Cuando me fui de Santo Domingo encaré a Miky entre lagrimones y patetismo, le dije que lo quemara todo y arranqué en* fa *sin decir* babay.

≋

Gideon Ilsset deja caer los hombros hacia el frente; con un dedo toca cualquier tecla y la máquina le alumbra de nuevo el rostro. La fotografía de Miralba le ha arrancado el estómago.

Se incorpora a por agua pero no, mejor apaga las luces y regresa sin querer hasta la imagen. Le cuesta tragar. Llaman a la puerta tres veces. No se deja alertar por el sonido y se toma su tiempo para cerrar la pantalla. Disimulando una agilidad de la que sería capaz en cualquier otro momento menos hoy, grita, «Adelante». Quien insiste se dilataba en acatar la orden y eso no arregla las cosas para el doctor Ilsset. Finalmente abre la puerta.

—Saludos —dice el que entra, extendiendo no un brazo sino el aspa de un molino. Gideon apresura el suyo, incompleto. Procura apretar firmemente la mano para no verse tan arruinado del todo.

—Yo soy el doctor Jonás Marthan.

Gideon no dice nombre ni rango. Alcanza a balbucear, «Ah bueno».

Jonás interrumpe aclarando, «Es sobre el asunto Daniel Beltrán». Gideon consigue respirar y al cabo añade, «Claro está. Sígame». Levanta una bata desde una silla, da dos pasos y retrocede para verificar que la foto de la mujer no está. Antes de dejar la oficina regresa al escritorio para apagar definitivamente la máquina.

La llamada con relación al asunto Daniel Beltrán resultó ser de Flavia Irizarry, la secretaria del doctor. Jonás desesperaba en un café cerca del Circol Maldá cuando le pasaron un papel con el mensaje y una numeración. Limpiándose la borra del cortado, Jonás se puso de pie, pidió una tarjeta de llamadas y marcó; del otro lado lo levantó una mujer adormecida que tardó en adivinar. Hasta ese momento Marthan no había considerado el cambio de hora de Barcelona a Santo Domingo. La voz preguntó, «¿Quién me habla?».

—Es Jonás Marthan.

La señorita Irizarry entonces procede a explicar que Daniel Beltrán fue encontrado muerto de un disparo en la cabeza dentro de su vehículo cerca del Faro a Colón. Jonás no se desperdicia en sorpresas y de inmediato inquiere detalles que la muchacha no da porque no sabe. A ella no le dilucidaron nada. La llamaron porque fue el primer nombre que encontraron al revisar la agenda del muerto. La cuestionó un policía un día y al próximo un teniente supuestamente del Departamento Nacional de Inteligencia, DNI. El policía era un viejo de preguntas vagas pero el teniente Rojo Agramante, así se llamaba el del DNI, habló de ángulos y de posibilidades. «Me preguntó qué sabía yo de armas; me mandó a hacer una prueba dizque del guantelete para ver si yo había disparado recientemente y también insinuó que yo podía tener algo con el doctor Beltrán. Me puse a llorar porque a quién se le ocurre. El forense no apareció nunca y no me hicieron pruebas ni nada. Ocho horas después el sargento de guardia me pidió un taxi. Entonces decidí llamarlo, doctor».

≈

Ya están frente al cuerpo. Gideon sostiene la sábana azul pardo; pregunta a Jonás, sin mirarlo:

—¿Doctor en qué es usted?

A Marthan le molesta el comentario pero no cede. Lo mira. Balancea los hombros y dice, «Psicología».

Gideon descubre el cuerpo tendido hasta el estómago bajo. El pecho del hombre cosido en Y. Jonás aprieta las muelas. Bajo el amplio bigote, la boca de Daniel retorcida por la muerte. El doctor Marthan no hace preguntas. Quiere concentrarse en cualquier otra cosa y elige el área del trabajo del forense: la morgue es un pasillo largo terminado en un cuarto escueto, muy iluminado; los instrumentos organizados en mesas de acero inoxidable y las paredes de losa brillante. Marthan no puede reponerse de la sensación de que lo rodea algo sucio. El doctor Ilsset siente la obligación de darle detalles pero se excusa diciendo que tiene órdenes de no comentar nada; los del DNI hablarán con él. A Jonás le cuesta un par de minutos comprender que al parecer no ha sido un suicidio. No sabe si sentir alivio. No puede evitarlo y empieza a tirar números: ¿cuántos cuerpos habrá aguantado la mesa que ahora sostiene a Daniel Beltrán? Todo tan confuso, tan lento. Gideon todavía sostiene la sábana como esperando que alguien dé la orden de volver a cubrir el estado de las cosas.

Jonás Marthan pregunta por un baño y en dónde podría conseguir un café. Va a tener que esperar al teniente Rojo Agramante. Gideon declina la invitación del hombre y le muestra cómo llegar a la cafetería. Allí Marthan quiere pensar en coartadas, en los eventos que habrían llevado a Beltrán hasta esto. En cambio, se deja embaucar por la idea de un pasado con ese Beltrán. No le sorprende la muerte del hombre. Él se hará cargo de este asunto como si fuese un negocio, es la manera más lógica de verlo.

Rojo Agramante dice, «Buenos días caballero» extendiendo una mano. Marthan aprovecha el saludo para ponerse de pie pero la agilidad del teniente lo deja en mitad del impulso. «Siéntese», completa Rojo, haciendo una seña que significa café. Pregunta al doctor si quiere algo solo por cortesía ya que la taza de Jonás todavía humea. Van al grano.

—Señor Marthan, estoy por determinar lo que pasó con el doctor Beltrán, que creo es su padre.

Jonás traga caliente.

—Era, querrá decir usted... y no escatime en decirme cosa alguna, aunque no sea concluyente.

—La puerta del pasajero estaba mal cerrada. El arma no estaba dentro del vehículo. Quien disparó lo hizo dos veces.

Una mujer los interrumpe colocando un vasito de *foam* frente al teniente que la despacha con dos monedas. Mirando a Marthan, le ordena, «Vamos afuera para poder fumar».

En Puerto Rico el teléfono repica sacando a Lubrini y a Helfeld de la falsa quietud. Lubrini promete cosas y deja el teléfono repicar. Entonces Helfeld es besada en la pantalla de plata que tiene en medio de los pechos redondos como toronjas de las de antes. Ahora tiene veintisiete, los acaba de cumplir, pero Lubrini puede imaginarla de catorce. Helfeld sugiere que deberían beberse unas cervezas que hay en la nevera y luego salir a buscar materiales. Brindan. Por los fantasmas, según ella. Añade que el fracaso tiene unas maneras muy sucias de jugar. «El fracaso no llega y dice aquí me instalo, en cambio, se va manifestando de a dosis imperceptibles. En ocasiones concede bienaventuranzas y una dice wao, por fin estamos alante alante. Luego, siempre lento, los palos comienzan a caerse; deudas, impuestos, intereses, pantomima, bodas, cánceres, hijos. El fracaso tiene peso. Es irreversible».

≋

«La gente cree que la muerte es el fin pero la mayoría de las veces es un cabo suelto». A partir de ahí se hizo un silencio en la línea que comunicaba a Gideon con Rojo Agramante, a quien no le quedó de otra y canceló la llamada. Se puso unos guantes de plástico mientras ordenaba a un sargento disipar al tumulto para ponerse a trabajar. Él había ordenado que dejaran el cuerpo como estaba y le hicieron caso. Abrió por fin la puerta del pasajero sin dejarse sorprender por la telaraña de sangre violeta que decoraba el cristal del conductor ni el orificio de bala que cuarteó el parabrisas. Esperaba encontrar el arma fatal a los pies del muerto pero no tuvo suerte.

Con una seña consiguió a los policías que se apersonaron por primera vez en la escena y les hizo repetir la cantaleta. Una de las barrenderas del Ayuntamiento dio con el muerto y avisó al supervisor quien llamó al Destacamento. El sargento y el cabo llegaron media hora después y estudiaron la escena. Reportaron al teniente de inmediato al creer reconocer al occiso por entre la cara destrozada. El teniente luego se apersonó con un comandante de zona con órdenes de no tocar nada. Poco después apareció la prensa.

Quien llamó a Rojo Agramante fue el capitán de corbeta Aníbal Tiradentes. El asunto Daniel Beltrán tenía que resolverse rápido. El capitán recibió a Rojo en su despacho del Acuario Nacional y luego de ofrecimientos corteses aunque sin fundamentos fue al meollo del asunto. «La gente va a hablar, es inevitable. Lo que me interesa es que usted cancele esta situación lo antes posible». Rojo se encontró haciendo un movimiento afirmativo y preguntándose por qué un capitán de la Marina de Guerra lo había citado en el Acuario; es más, por qué lo había citado y punto. Tiradentes hablaba alrededor de las cosas dando la impresión de que estaban en el grano pero en realidad era una ilusión auditiva, se demoraba en las ramas. Levantó un teléfono y pidió unos documentos. Continuó. «A mí no me gustan las sorpresas, Rojo Agramante, y por eso es que lo estoy llamando a usted. Los informes están listos. Tenga claro que su trabajo aquí es poner los puntos donde van para que todo pueda seguir su curso. Usted resuelva». Un adolescente con cara de chino, enfundado en un uniforme de guardiamarina de diario, impecable, entró con dos cartapacios y se colocó en parada-descanso en uno de los laterales del escritorio; tenía la mirada clavada en un horizonte inexistente que no incluía al teniente, quien sacó un poco el pecho ante la marcialidad del oriental. El capitán Aníbal Tiradentes consiguió unos delicados espejuelos en el escritorio y procedió a firmar los papeles. Es elegante, si no fuese capitán podría ser modelo de guayaberas o de los que salen en las cajas de tintes de pelo para hombres. «Sé que a usted no le interesa un ascenso por el momento. Lo que quiere usted es regresar a la Marina y yo puedo hacer que eso pase. No es un favor lo que se le está pidiendo Rojo, este es su trabajo y usted lo hace muy bien. Asegúrese de que todo siga su curso y personalmente me encargaré de su traslado. ¿Estamos?». Entonces Agramante entendió que había algo podrido en la muerte del tal Beltrán porque, si su trabajo era resolver, ¿para qué insistía el capitán en ofrecer traslados y mencionar ascensos? Lo otro que le parecía incongruente era la relativa sencillez del asunto. Si lo llamaron a él no había nada resuelto en este caso. Ya para ese momento el capitán había terminado de firmar los papeles y con las gafas en la diestra de uñas cuidadas, señalaba a Rojo, quien se puso de pie y sin saludar dijo «Sí señor», encontrando una puerta y partiendo sin prisa evidente.

El teléfono insiste en la esquina y no podemos decidir si salir o quedarnos. Ya vamos por la cuarta cerveza y prometemos que una más y ya. Un dedo mío le rebusca en un muslo, prefigura la cadera; regresa a la rodilla. Helfeld me toma la mano y propone que compremos algo y nos tiremos en la falda del Morro. Ya allá se deja abrir el vestido camisero. Me hundo de manos por el torso de ella y su garganta hace un sonido como halando para atrás. Pasa un crucero escu-

piéndose de la boca de la bahía y Helfeld dice, «Mira, una ciudad aburrida y flotante». Sin interrumpir el manoseo, como si no fuese con ella, me cuenta de la primera y única vez que se montó en un crucero. Un viaje terrible no por el escenario sino por el motivo: una reunión familiar con un abuelo al que ella había ignorado por una gran parte de la vida. Hastiada y en una adolescencia plena, se retiró hacia una de las barandas del bote y ahí sorprendió a un grupo de gringos agotando las Polaroid en unos delfines. Ellos perpetuando el asunto y ella que les daña la fiesta con la noticia de que eran escualos y no delfines; bien lo sabía ella que era bióloga marina, o que quería serlo. Me pregunta luego cómo íbamos a vivir sin televisión. Guardo silencio. Prendemos. Poco después la luz se hace humo. Senos redondos color caoba, costillas lustrosas adivinando un vientre largo y luego el centro del gusto en donde se guarda un camino de secretos más allá. Allí habita mi voz.

Regresamos un poco muertos. Cada latido es una pequeña herida; el corazón se rompe un poco cada vez. «Literalmente», dice ella. Por las calles ya bajando, té de limón con canela. Llegamos a la casa. Ella se tira en el mueble y se queja de que algo la lastima y es el fókin control que todavía anda por ahí. Es cuando suena otra vez el teléfono y ella le tira el control. Miro el pelo alborotado en la cara y un tirante violeta que ya no soporta y se deja caer por el hombro de frambuesa. Todo lo que tenga que decirle a Helfeld en esta despedida será dulce. Beso el tramo de la oreja al cuello. El cuerpo de ella se ríe torciéndose en un ángulo de cuarenta y cinco y el mueble se la va tragando. Hay que aferrarse al costillar de ella, a sus piruetas de sabores, al grosor de su pedrada; chupando caña con ella en un sudor que vaya y venga, comiendo gallina, que no se detenga; en sus caderas poco proporcionadas aunque suficientes para dormir y encontrar en la tersura de sus nalgas la vibración perfecta de

un tambor mayagüezano. Helfeld propone, cuando el telé-
fono suena de nuevo, que dejemos de echar carne a los tibu-
rones y nos pongamos para el número que sea. Antes de le-
vantar el teléfono me sentí adolescente y en enamoramiento,
consciente del error. No hice otra cosa que susurrar y son-
reír, queriendo ir y partirle la boca de un beso; en cambio,
levanté el teléfono y la voz del otro lado no escondió la sor-
presa. Según Flavia Irizarry, Daniel Beltrán es ya un cuer-
po en trance dilatado.

LUBRINI.
Textos forenses desde Canóvanas

≈

A Marthan no le molesta en sí la actitud del teniente,
todo lo contrario: Rojo Agramante es el hombre que a
Jonás le hubiese gustado ser. El doctor Marthan vive
organizado alrededor de un control inexistente; sus días
consisten en proyectos irrisorios. En cambio ante Agramante la vida debe subyugarse porque a un hombre como este nada puede salirle mal.

—¿Hace cuánto tiempo no ve... no *veía* usted a su padre? —Rojo hace la pregunta ofreciendo una cajetilla de
Mentolados que Marthan repudia lentamente con un
gesto de la barbilla.

—No solamente no nos veíamos. Tampoco hablábamos
desde hace bastante.

El teniente fuma sin quitarle la mirada de encima, buscando planos alejados de la sombra para estudiar al doctor, para leerle cada gesto y enumerar sus silencios, el
nervio. Jonás Marthan por fin pregunta qué es la que
hay con lo de Beltrán.

—Le voy a decir lo que puedo porque, lo que es a este momento, todavía estamos investigando. Cuando lo encontraron tenía un disparo en la sien, en el lado derecho.

Rojo Agramante encuentra donde matar la colilla y se queda con los brazos tiesos en el aire. Le entra un deseo tremendo por lavarse las manos. No puede decirle que se estaban llevando a cabo unas mediciones para eliminar posibilidades. A primera vista el doctor Gideon Ilsset ha sugerido registrar el asunto como un suicidio y seguir adelante (eran tales las órdenes); mientras para Rojo los detalles que va recopilando no encajan: los policías que atendieron la llamada le dejaron saber que la puerta del pasajero estaba mal cerrada; no había pistola, podían haberla robado, o una segunda persona estaba en ese vehículo. Lo más obvio era simular un suicidio, pero por qué. Rojo Agramante sabe que en cuanto consiga esa pistola las cosas empezarán a caminar.

—¿Cuándo se puede proceder con el asunto funerario?

Marthan hace la pregunta sin esconder que está loco por irse.

—Deje un número en donde yo pueda comunicarme. Puede ser que le tenga una respuesta esta misma tarde.

—Lo agradecería. No pretendo quedarme mucho tiempo.

—Bueno. Va a tener que quedarse el tiempo que sea necesario. Seguimos hablando.

Rojo Agramante se desvía con paso firme por un pasillo mal iluminado y da con el baño casi inmediatamente después.

≈

La fotografía llena la pantalla con la imagen que el doctor Gideon Ilsset procura inútilmente ignorar. El archivo llegó adjunto a un mensaje la noche anterior; él no le dio importancia y se tiró a la calle. Ya de madrugada, revisó otros correos, relegando ese mensaje sin comentario ni título. Antes de salir a buscar el primer café cometió el error de cliquear en el nombre del remitente.

Entonces las cosas se le han virado en un ángulo con el que no encuentra cómo bregar.

Poco antes de colgar el teléfono la señorita Flavia Irizarry era un mar de llanto, colocando a Lubrini en una posición bastante incómoda porque, ¿qué podría Lubrini decirle? Si de alguien se esperaban noticias fatales era del doctor Beltrán, sobre todo en este último año. El hombre era ya un personaje de fábula: las noticias que involucraban a Beltrán en líos de corrupción llenaron varias semanas de titulares y programas de opinión. No había medio en el cual no se viera el invariable semblante del doctor. Se defendió poco de las acusaciones y dejó de contrariar a los detractores. Nadie cuestionó ese silencio y gracias a ello *titiri mundati* entendió que el tipo era culpable. ¿Los cargos? Sí, porque eran varios: malversación de fondos entregados por la Organización de las Naciones Unidas para soliviantar los daños causados por el paso del huracán; en este caso el escándalo fue mínimo y siendo Beltrán también abogado, se defendió él mismo y salió airoso, aunque ya la mordida estaba dada. Sus allegados comenzaron a alejarse; era el fin de la vida política de Beltrán. Meses después al procurador de la república se le ocurrió pedir relaciones de bienes en declaración jurada a ciertos funcionarios, lo cual es delicado si se toma en cuenta que, por más que se pruebe la inocencia, ya la sospecha y el anuncio pomposo en la prensa embarran por un buen rato a cualquiera. A este hombre le importaba muy poco el qué dirán y se encerró a cal y canto. Estaba agotado y triste. Daniel Beltrán era un tipo a la antigua, creía en principios y se ufanaba de tener el concepto moral y cívico tatuado por dentro. Para cuando salió ileso de los cargos en contra de la contabilidad de sus cosas, colocó el resultado a página completa en tres rotativos de circulación nacional, pero ya estaba maculado sin retorno.

≈

Helfeld supuso de inmediato que la llamada implicaba un viaje. Fue a la cocina a revolver el té y un poco también para dejar a Lubrini a solas con la mala noticia. «Es por eso que suena el timbre y pienso en tiburones. Por eso decidí dejar de levantar el teléfono por un gran tiempo. No es complicado». Daniel Beltrán ayudó a Lubrini como nadie a bregar con los asuntos de la vida. «Yo, Lubrini, que dejé atrás toda posibilidad de humildad o ayuda, de concordancia, de anhelos, di con Beltrán en una azotea. Con la arrogancia característica le conté un par de atrocidades y él como si nada, como si ya lo hubiese escuchado todo». Esa tarde Lubrini pidió permiso para prender un tiro y Daniel, sin mirar y con la mano plana, agradeció el ofrecimiento declinando y se inspiró, «Lubrini, yo creo que tú lo que tienes que hacer es dejar de mentirte».

La tarde quedó ahí porque a partir de eso algo se quebró en Lubrini. «Me molestaba la sencillez del asunto pero nos quedamos mirando hacia el Malecón de Santo Domingo: Montesinos tapándose la boca como si bostezara y más allá Sans Souci; los barcos de la Marina, estáticos. Entonces supe que Daniel iba a ayudarme y que yo tendría, en algún momento, que buscar la manera de largarme de ese país».

Ahora, el otro lado significaba el cuerpo aterido de Daniel Beltrán aguardando a que se encarguen de las cosas de su muerte. «No se me abandona la idea de que un hombre tan atinado en vida esté tan a la deriva en lo que los trovadores han insistido se llama *The Finest Hour*. El *tour* hacia lo único verdadero». Helfeld regresó con el té, ahorrándose las teorías. Entendía que lo mejor era ponerse desde ya en diligencias para salir en el primer vuelo. A Lubrini se le reveló el pavor. Helfeld no iba a acompañarlo a Dominicana. Lubrini insistió en dar razones, hundiéndose cada vez. Ante la debacle, empezó a recoger cualquier cosa como si todo fuese normal y se estuviese yendo para un resort en Punta Cana o Juan Dolio o algo así; habló de soles y calamares a la plancha. Helfeld llegó hasta la habitación y le ayudó a empacar con una calma de hermana antigua. Se sentaron en la alfombra con la nuca entre el colchón. Fumaron como si el mundo fuese a acabarse. Se acompañaron hasta la puerta del condominio; calmada, Helfeld sentenció, «Cuando regreses, Lubrini, yo ya no voy a estar aquí».

«Durante el viaje al aeropuerto no contesté ni siquiera con las cortesías que se le tienen a los taxistas y más si son paisanos. Peor fue en las líneas de chequeo y abordaje. Después que la voz de un sobrecargo marcó los treinta mil pies de altura, me encerré en el baño del avión a llorar con cojones».

Jonás Marthan siente una mano cerrándose por dentro un poco más abajo del esternón. Se deja estar por las calles de la ciudad sin destino aparente. La reunión de esta mañana no había ido nada bien y por algún motivo le mortifica el hecho de que a Rojo Agramante eso lo tenía sin cuidado. De seguro esto para el teniente es un asunto de rutina. Para Marthan, por razones más allá de la muerte del padre, este acontecimiento desorganiza la cotidianidad. Le persigue el presentimiento de que todo esfuerzo será superfluo. El autocontrol es una quimera; algo propio de hombres grandes y Marthan se conoce mediocre. Por eso se alejó en algún momento de Daniel Beltrán. Jonás creció a la sombra de un hombre absurdamente correcto; conoció el hambre gracias a las veces que Beltrán dijo que no, incólume ante el soborno. «Si cojo una limosna ahora, aunque no me pidan nada a cambio, buscarán el cómo cobrarme. Y a esa gente los favores se le pagan, quizás tarde, pero siempre en demasía; yo no voy a comprometernos a eso. No. Quién dijo».

Ahora conduce por calles en donde nada le es ajeno a pesar de las millas recorridas entre América y Europa para olvidar; regresar y sorprenderse. Huyó de Santo Domingo no tanto para alejar la herida, quizás el asunto era irse por un tiempo largo a otra realidad y al retorno, mirar esta ciudad con ojos de turista. Pero traicionan los sentidos y dentro del vehículo, por más acondicionado que se esté, el cuerpo siente el calor colarse por cualquier brecha, se suda como el muchacho que afuera ofrece las jaguas, como la haitiana que arrastra los catorce negros que batallan en el regazo, que le cuelgan de los pezones; hay un ciego evangélico, una vieja vendiendo bienmesabe. Todos con un celular en el cinto esperando una llamada para resolver.

≋

Gideon no consigue abrir las ventanas de la oficina. De pie, incompleto en una esquina del escritorio, juega con un encendedor y un Marlboro Light apagado. Con la mano vacía se aprieta la muñeca de la otra. Rojo Agramante entra inmediatamente después de tocar tres veces con sonidos cortos.

—Gideon Ilsset.

El doctor levanta la cabeza para darse cuenta de que su mano se ofrece y es gravemente apretada del otro lado. Rojo lo saca de una angustia para clavarlo en otra.

—Dígame. ¿Cómo vamos?

Gideon se tarda con el reporte. Aguardando, Rojo mira las cosas de la oficina, las pocas. No hay diplomas ni trofeos. Los cajones de archivos son muchos, perfectamente alineados y el teniente los adivina exactos a juzgar por el hecho de que el doctor tiene los libros organizados por tamaño y obedeciendo rigurosamente el orden alfabético. Gideon libera las manos; abriendo un fólder entrecruza los dedos, lee, «Orificio introito por lado occipital, el derecho. Salida a cuarenta y cinco grados por el diametral izquierdo. Un solo disparo y limpio».

≈

Rojo no puede creer lo que está escuchando y se lo deja saber al doctor. Todo eso está de más. El teniente quiere un dato nuevo, no lo obvio.

—¿Cabe la posibilidad del suicidio; el ángulo?

—Pero teniente, esto no es un asunto de que si cabe o no. Posibilidad como tal no hay. Entienda.

Agramante abre los brazos y los deja caer. Inquiere sobre los resultados de la prueba de parafina que ordenó le hicieran a la secretaria del difunto. El doctor lo escucha sin mirarlo, levanta, lentísimo hacia la boca, el cigarrillo; con el encendedor en el aire admite haber tomado la decisión de no hacerle la prueba a la mujer. El teniente exhala, agotado, brevemente decepcionado más no sorprendido. Con el cigarrillo en el centro de la boca, la mano libre de Gideon cubre el encendedor pero el gesto es inútil porque allí no hay viento sino un aire transpirado. No llega a prender y empieza a hablar por las comisuras. «Mire teniente, yo sé que usted me encargó eso mucho pero de allá arriba bajaron otras órdenes... entienda». ¿Para qué se justifica el doctor? Rojo no le había pedido nada. Continuaba en silencio, respirando largamente el aire pesado, de a ratos poniéndose una mano en el corazón, como para calmar el latido, como si estuviese apaciguando un infarto. El cigarrillo bailoteaba, a cada palabra, en la boca del forense, que añadió, justificándose, «Además, esa prueba no es determinante ni concluyente. Digamos que le hagamos la prueba y resulte que la mujer esa disparó. Bien. Pero con ese dato único no podemos incriminarla». Rojo lo miró por fin. «Pero Gideon, sea como sea, si la mujer da positivo, puedo usar eso. Coerción. Usted sabe más que eso tigre». Gideon por fin va a dar fuego pero el cigarrillo cae, escupido por error; termina a los pies de Agramante. El alemán descansa una rodilla en el piso para recogerlo, procura no hablar desde ahí. Se incorpora, abre definitivamente un juego de ventanas y prende. Sabiendo que Rojo no va a marcharse con las manos vacías, concede. «Está bien. Después de aquí voy a hacer los estudios de balística y eso, para mis archivos... si encuentro algo procedemos. Pero teniente, si usted quiere saber algo más va a tener que producir esa pistola. Para ayer».

Lubrini aterriza y en verdad quiere devolverse pero le reclaman migración y el acoso. Afuera los taxistas en algarabía, hombres con corbatas y letreros. Esperando. Familias enteras recibiendo a la prole pródiga. Una canción que escuchó Lubrini mucho en aquella postadolescencia, «No hay nada tan patético como un poeta solo en *arrivals*». Se decide por un público del aeropuerto. Los públicos son autobuses que se encargan de llevar y traer a empleados que no gozan de transporte propio. Viene sin equipaje así que se mezcla con ellos. Cuando el agente de aduanas preguntó, «¿Dónde están sus maletas?». Lubrini dijo detrás del culo de botella de las gafas, «Vengo a bregar un asunto funerario».

Jonás Marthan entra la tarjeta unas cinco veces pero la luz del artefacto en la habitación sigue dando rojo. La mucama que pasa con un carro lleno de productos de limpieza es la misma que arrastraba la bandeja de desayuno esa mañana. Lo ignora lo mejor que puede pero él la reclama.

—Déjeme entrar por favor, joven.

—¿Perdone?

—Es la llave. No funciona.

La mujer no puede evitarle la mirada; no sonríe y echa mano a un llavero con una tarjeta maestra. Abre. Jonás Marthan se queda firme frente al umbral.

—Algo más en que pueda yo servirle... digo yo, si hay algo, doctor.

Jonás pregunta a la mujer a qué hora acababa su turno y ella sin pestañar dice que a las cinco. Él, desde un espacio entre el orden y la misericordia, quiere pedirle que se quede; decirle que su padre ha muerto y él no está sintiendo nada.

≈

Rojo Agramante tiene pocos amigos y no se le conocen hijos o errores. Atraviesa la ciudad en una motocicleta Yamaha de las que en la República Dominicana se conocen como Saltamontes. A nadie sorprenden las cosas de su vida. Para el público general sus apellidos no tienen ningún tipo de relevancia. En los círculos castrenses se le respeta. Siendo aún guardiamarina de tercer año de la Escuela Naval, consiguió desmembrar un contrabando aeroportuario de armas y cocaína que estaban llevando a cabo los cadetes de cuarto año. Agramante era el edecán de uno de ellos y estaba al tanto de toda la operación. Sin que lo interrogaran se dirigió al jefe de cuerpo de la institución y en menos de un mes, en un drástico operativo, la banda quedaba destituida y en prisión, solo a meses para graduarse.

Ya como alférez de fragata, Rojo Agramante fue asignado a lo que se conoce como el G2, el Departamento de Inteligencia de la Marina de Guerra. Fueron malos tiempos para los organizadores de viajes ilegales. A Rojo no le interesaba el dinero. Le gustaba llegar al fondo de los asuntos. Para él los casos asignados no acordaban con el mundo real, respondían a un desorden matemático que él se complacía en resolver. Su proceder nunca le suscitó problemas. Gracias a un extraño juego de coincidencias, todo caso cerraba con un saldo beneficioso para sus superiores. Con el tiempo le fueron asignando diligencias fuera de la Marina, por esta razón llegó a formar parte de una brigada especial del DNI asignada al Palacio de la Policía.

Otra de las razones por las que el capitán Aníbal Tiradentes no lo pensó dos veces a la hora de pedir que le llamaran urgentemente a Rojo Agramante residía en el hecho de que la zona en donde encontraron el cuerpo de Daniel Beltrán era bien conocida por el teniente. Rojo venía de una familia de la ahora desaparecida clase media. Su padre no era un militar de carrera pero había aprendido a navegar muy bien a través de rangos, y su madre mantenía un balance económico desde un negocio que consistía en el lavado y planchado de los uniformes del personal de la base aérea de San Isidro. La niñez de Rojo transcurrió en los tiempos de locura de finales del régimen dictatorial balaguerista. Ya totalmente ciego, sufriendo de una joroba evidente debido al paso de los años, el hombre insistía en aplacar las riendas de una mediaisla bien al garete. Uno de sus magnos proyectos finales, el Faro a Colón, fue erigido como un proyecto personal y a todo costo. De esa construcción se desparramó una serie de apartamentos multifamiliares que bordean toda la Avenida España, redefiniendo así el sistema de vida en distintas barriadas. Todo fue un desorden. La construcción de las viviendas se hizo a la brigandina, sin ningún tipo de consideraciones por el diseño o la calidad de los materiales; así de confuso era también el criterio de repartición de los apartamentos.

Por más que Balaguer fuese venerado con furor pontifical, cierto era que su constitución física decaía: iba a morirse pronto. Los secuaces que tenían dos dedos de frente empezaron a llenar las arcas y a preparar un plan de escape. El padre de Rojo Agramante no se quedó atrás. Uno de los secretos para la vigencia de El Doctor fue mantener en un alivio constante a los militares. Rojo Agramante se vio una tarde dejando atrás un barrio de chozas y letrinas para llegar a un cuarto piso con tres habitaciones, cocina de caoba y baño para las visitas. Su madre no tuvo jamás que volverle a poner la mano a una plancha; se agenciaron dos muchachas del interior para que hicieran los oficios de la casa. A una semana de terminar la secundaria, un sábado, Rojo sintió la mano de su madre despertándolo. El papá lo esperaba vestido de oficial de salida con una taza de café hirviendo. Cuatro horas más tarde, entre mandatos voz en cuello, un sargento le pasaba la cero en la barbería de la Escuela Naval. Rojo tenía catorce años y Balaguer no había muerto.

≈

El taxista que condujo a Lubrini al aeropuerto Luis Muñoz Marín confirmó lo decaído que está Puerto Rico; no entendía cómo los dominicanos seguían tirándose en yola. «A buscar yo no sé, si esto está más malo que en Santo Domingo, lo único es que los boricuas tienen pasaporte gringo pero total, ya ni eso es garantía. Si usted nos pone juntos se dará cuenta de que somos un bagazo... La vaina es que lo de las yolas no se va a resolver por ahora. Por más que usted le diga a un dominicano que afuera la cosa está jodía, va a querer irse. Lo del viaje nosotros lo llevamos en el físico».

Aunque en contadas ocasiones ha viajado por placer, Lubrini pertenece al grupo de los que pueden entrar y salir de la mediaisla. La gente habla de Cuba quizás porque el cubano siempre ha viajado de maneras raras y extravagantes y para ellos regresar a su isla puede representar una complicación, pero los dominicanos hacen del ir y venir costumbre y arte; mientras, para los boricuas el asunto es complicado a niveles esotéricos (son ciudadanos de Gringolandia desde el nacimiento, lo cual puede ser un terrible compromiso). Lubrini entonces empieza a elegir con cuál de sus tres pasaportes va a entrar a la República, con el americano, con el dominicano o con el de la Unión Europea. El taxista pregunta a qué se dedica Lubrini. Al enterarse que Lubrini escribe libros, ofrece contar su versión de aquellas travesías peligrosas a través del Canal de la Mona, los tiburones y las mujeres que amamantan a la tripulación, la sal y la noche, el secreteo y las inmensas cantidades de dinero, el trueque, la falacia.

Las últimas imágenes puertorriqueñas: Helfeld recogiendo sus cosas, una mujer obesa limpiando el vómito de los adoquines sanjuaneros, un tecato inyectándose en la Norzagaray. Puerto Rico bala perdida, sangre de perro y tantos adioses. Santo Domingo descalabre, un pulguero sin carpa. Lubrini entra con el pasaporte dominicano, demorándose en las transacciones migratorias. Durante el traqueteo el supervisor de migración demuestra pedantería. Lubrini sabe que si se pone con inteligencias puede pasar toda la noche allí así que se pone la máscara del dolor y habla del muerto, del gran hombre que era Daniel Beltrán y de cómo ha tomado ese vuelo de emergencia. Tragedias. En verdad lo que quiere es hacerle tragar el pasaporte al tipo. El agente cede pero no del todo. Lubrini siente el deseo de dejarle la libreta esa porque a fin de cuentas, ¿para qué sirve un pasaporte dominicano?

Para cuando Lubrini consigue salir del escombro ya el molote rescata el equipaje de la correa. Lubrini pregunta, por joder, si siempre es así, si la dominicanidad siempre viaja con tanta maleta y una señora que lleva un *carry on* Louis Vuitton opina, «Los dominicanos viajan mucho pero en realidad no van a ningún lado. Vea, aquí tiene usted, una nación desparramada con la banda de sonido de una película clase B... no *kistch,* que no es lo mismo». Lubrini y la vergüenza de ser, de sentirse en Dominicana: el acarreo, el descaro, la limosna, la abulia, la velocidad de la trampa, las corbatas grasosas, el hambre, el hambre, el hambre; el falso balance entre lo rural y lo cibernético.

≋

Antes de que caiga la tarde el chofer y Lubrini se quedan solos en el público, poco antes de entrar de lleno a la ciudad. El hombre pone conversación. Lubrini procura hablar pero se resigna al sabor a cobre que troza la garganta. Transan una tarifa y el hombre decide irse por la Avenida España para dejar a Lubrini en el barrio de Los Molinos. Tiene que verse con la señorita Flavia Irizarry lo antes posible. Ya en Villa Duarte dan un par de vueltas y Lubrini pide parada frente al Monumento de la Caña. El taxista se despide con la siguiente perla, «Con este desorden, si hay un dios, por mi madre que tiene que ser dominicano».

≋

Gideon determina que la fotografía fue tomada en la cabaña de un motel. Todo foco de luz y color se concentra en el pelo desordenado y la frente arrugada de Miralba, la novia de un tipo que Ilsset conoció poco después del huracán. En la imagen, la cabeza se corta bajo la garganta. El doctor repasa la boca, imagina los hombros torneados y el torso desnudo. Es esta la manera en que Miralba va a quedársele adentro.

≋

De los juegos de huellas dactilares en los casquillos, solo dos están completos; uno de ellos identifica al occiso. Cumpliendo órdenes, Gideon telefonea al capitán Tiradentes y reporta. Tiradentes envía al Palacio un sobre con los documentos correspondientes para cerrar el caso. No habrá necesidad de hacer rueda de prensa ni nada ya que la muerte de Daniel Beltrán está pasando sin pena ni gloria. Rojo Agramante recibe la llamada de Gideon acabándose el café de la tarde. Los reportes le esperan en el Palacio. Rojo quiere saber más sobre el segundo juego de huellas y Gideon dice haber investigado en varios archivos; por el momento no hay coincidencias y sigue esperando resultados.

En la oscuridad de la habitación Jonás Marthan ve la luz roja del teléfono palpitar. Sospechando que es el teniente para hablar del asunto Beltrán, se planta de un salto y comprueba que el mensaje es una estupidez: el departamento de comunicaciones del hotel le da la bienvenida, dejando saber que si tiene necesidad de solicitar un *Wakeup-call* puede hacerlo pulsando el cero. Otra vez gracias por haber elegido el hotel.

Jonás mueve un tanto las cortinas: afuera la calle hierve en el nervio navideño, la gente sigue vendiendo cosas, otros buscan la manera de llegar a sus hogares desde las oficinas, varias muchachas arrastran maletines llenos de libros y computadoras, trabajan de día y estudian de noche, no hay otra manera de vivir; para morir está la calle.

El doctor cierra las cortinas y procede al baño. Allí revisa el reloj y constata que tiene todavía una hora antes de salir. Lo acosa la idea de que la mucama que ha aceptado tomarse algo con él esa noche de seguro no estaría vestida de manera adecuada para el restaurante o el bar que él hubiese querido llevarla. Todo lo contrario. Luego de esperar unos diez minutos en la esquina acordada (el cruce de las avenidas Bolívar y Máximo Gómez), la mujer aparece desde una tienda de teléfonos celulares y rauda sube al vehículo. El vestido negro, elegante por lo simple, revela un cuerpo opacado por la sensatez del uniforme. Lleva el pelo recogido en un moño; un mechón se escapa hacia la frente cerrándole un ojo, añadiendo un misterio.

≋

El padre de Rojo Agramante no pudo ver a su hijo graduarse como brigadier de promoción. Un mes antes del evento el coronel Rainieri Agramante Vólquez se encontraba departiendo con unas amistades en el Cubacana Club Social, localizado al lado de la planta de gas propano de la Avenida España.

Debido a problemas de mantenimiento uno de los tanques explotó ese domingo en la tarde. El fuego se extendió de tal manera que Villa Duarte entero tuvo que tirarse a la calle. Tomó casi un día apagar la llama y una nieve ceniza abordó las colindancias por meses. Al recibir el dato, Rojo se apretó para que nada doliera. La pérdida alteró un sentido de responsabilidad que él no conocía y la vida siguió pesada aunque marchando, hasta que a la mamá le pudo más el prospecto de una vida entera por delante sin el hombre del cual ella nunca se enamoró pero al que se había acostumbrado. Primero fueron las pastillas. Ya para las fechas en que Rojo tuvo que internarla en el Hospital Central, el sentido de responsabilidad se había ido a la puta mierda. Rojo era un postadolescente y si es cierto que esa es la edad propicia para la metida de pata, Agramante no fue excepción a la regla; él podía dar fe y testimonio. Un doctor lo citó un martes a las cuatro para decirle que ellos no podían seguir bregando con la doña y la opción era un sanatorio que quedaba en el kilómetro veintiocho de una de las tres autopistas; era demasiada información demasiado rápido pero él retiene aún la parte en donde el doctor mencionó el tratamiento eléctrico que daban allí. Era martes y tomó unas decisiones. El doctor lo dejó en la oficina muerto y podrido. El viernes internaba a la doña en el fatal kilómetro. De camino al sitio Estelvina iba cerrada de manos, consciente del destino de la travesía. Los trámites fueron absurdamente fáciles, en veinte minutos Rojo estaba fuera de allí. Ingresó al vehículo con diligencia, sintiendo una mandarria en la cabeza del llanto y sin poder calcular. Sudó varias fiebres Avenida 27 de Febrero abajo hasta conseguir el Puente Duarte. No hizo derecha en el Farolito, que era lo que tenía que hacer para tomar la Avenida España y llegar a la casa sino que lo siguió por Las Américas y dobló izquierdo en la Venezuela. Entró a Elvis Disco. Allí se encontró con dos tipos de su barrio que él conocía pero con los que nunca ligó debido al férreo método de crianza del padre. Beethoven Villamán y Hitler Faraón se extrañaron de la rareza pero lo trataron de manera afable, se saludaron y hablaron de mujeres. Ahí acordaron comprar un servicio, que era básicamente una botella de Brugal Añejo, un Sevenup y una Cocacola y mucho hielo y limón. Departiendo estaban los camajanes, hablando de mujeres.

Un canto de Rojo quedó en el manicomio y algo de la madre se había escapado con él para siempre. Se bebió muchísimo ese viernes. Para cuando decidieron irse a comer picalonga en algún punto de la avenida ya Rojo estaba caliente y los otros dos, Beethoven y Faraón, bien jodedores. Antes de llegar al estacionamiento pasaron por una tienda de accesorios para vehículos y se pusieron a inventar con un guardián que tenía una escopeta doce. El guachimán dijo algo así como ya está bueno coño y fue a engancharse el arma cuando de repente se oyó un disparo y luego otro. Del accidente Rojo quiere creer que tiene el recuerdo certero pero no, ya que el único sentido que se le activó fue el olfato: recuerda la pólvora aireando la noche; el olor de la misma aleada a la sangre; la quemazón; luego el sudor, de él mismo y del hombre al otro lado de la escopeta, temblando tanto o más que él. Ese hombre había matado antes. Rojo lo supo y esa noción lo dejó sembrado; manso pero mosca. A su lado Beethoven ya tenía agarrado a Hitler sangrante por el pecho y pedía al tipo del arma, de maricón para allá, que lo matara a él también. Pero el hombre estaba mirando y apuntando hacia Rojo y este devolvía la mirada, estático. Rojo recuerda la serenidad de saberse muerto, un alivio de miedo.

Pero la vida siguió hasta hoy, para Beethoven y Rojo, quienes de ser diferentes pasaron a tener algo demasiado en común. La precariedad tiende a unir ciertas cosas.

En Villa Duarte es de noche. Camino al edificio de Flavia, Lubrini entiende que no puede aparecerse sin llamar primero y sigue hasta una bodega que en el segundo nivel tiene un billar. Una morena entrada en los cuarenta controla el colmado desde el fondo de un mostrador. Lubrini hace una seña que significa cerveza y dos vasos. La morena se acerca pero no hay manera de escuchar porque las bocinas están al día con una especie de *Denbow* cruzado con mambo violento. La morena se sorprende de que Lubrini le extienda un vaso; se acaricia el pecho con excesivas uñas haciendo un juego con los dedos llenos de anillos que no podrían existir. Terminan brindando y Lubrini cierra los ojos cuando el caño agrio, picante, frío bendice hasta la tráquea. Se da otro trago y pregunta por un teléfono. La morena dice que arriba en el billar hay un pesetero. La negra pone conversación, concede que las cosas están duras pero espera enderecen ahora para las navidades; saca un paquete de maní y

brinda unos granos a Lubrini, quien con un gesto simul-
táneo agradece pero declina la oferta y se dirige a hacer
la bendita llamada. No tiene monedas y no entiende por
qué se llama pesetero si lo que traga es pesos. Para su
sorpresa la muchacha que le da cambio en la caja del billar de la nada salta con un comentario bastante atinado
acerca de la devaluación y enfatiza que las pesetas eran
monedas de veinticinco centavos. Por su lado, Lubrini
regresa hasta una niñez donde tambíén en España hubo
pesetas. Marca el número de Flavia quien no lo deja timbrar dos veces y se sobresalta sinceramente cuando
Lubrini dice, «Sí soy yo. Qué es la que hay».

≋

Para Gideon el cuerpo es el espacio de lo posible. En su
brega con la muerte tiene la oportunidad de atestiguar
los excesos de los órganos, sus formas reventadas; la
epidermis como músculo advenedizo, el hígado chocan-
te, el corazón exótico.

La cara de Miralba en medio del gozo remenea unas te-
clas confusas. Sí, es una mujer y punto, pero cuando Filemón confesó que se había acostado con ella después de
dos grandes esfuerzos, Gideon sintió un alivio, porque a
él la jeva le había llamado raramente la atención desde el
principio, aunque a la misma vez era un querer alejarse
porque sospechaba que la mujer terminaría dando problemas. Al considerar los sucesos de la mañana Gideon
se dice *Te lo dije* bien para dentro. ¿Cómo asediar el
asunto? Saliendo de la oficina para verse con el amigo, tomarse un par de tragos. Decirle todo de un fuetazo
sin reparar en el tacto o el tono de la conversa: antes de
fumarse el primer cigarrillo Filemón iba a saber que una
foto de Miralba andaba rodando por ahí. Sin etcéteras.
Se puso de pie con el sobre que enviaría al capitán

Aníbal Tiradentes y lo dejó con el sargento del día. Fingiendo diligencia bajó a brinco las escalinatas del Palacio. Antes de entrar al vehículo el teléfono le desordena la determinación y reconoce un leve tremor. La pantalla del móvil dice Rojo Agramante.

—Dejé el reporte en el escritorio del sargento del día para que lo firme teniente; lo van a venir a buscar desde donde Tiradentes.

Del otro lado, Rojo le deja saber al doctor que tienen que verse.

—Pero voy de salida, Rojo.

Agramante, en un tono que deja claro que no es una sugerencia, dice, «No Gideon, usté tiene que esperarme ahí. Vengo cruzando el Puente Duarte. Apareció la pistola de Daniel Beltrán».

Flavia Irizarry abre la puerta del apartamento y se encuentra con Lubrini, quien trae cuatro botellones de cerveza en el regazo y miente, «Chica tú estás como más flaca; ¿qué te hiciste en el pelo?». Pero Flavia ni contesta. La verdad es que no está bien. Para ella lo de Beltrán significa Santo Domingo desierto y ella está considerando el quedarse. Pasan al balcón y destapan la bebida. Flavia trae un cenicero y ofrece cigarrillos. Lubrini acepta aunque asegura que está por dejarlo y pregunta del orden general de las cosas de Beltrán. Flavia establece que en este último año a Beltrán le había dado por volverse a meter a la política. «Uno de sus mejores amigos, el senador por la provincia de Peravia, delató la matanza de unos colombianos que se dio en las Dunas de Baní. Al senador le empezaron a llegar amenazas de muerte desde la gente de la droga y políticos y hasta la policía. Al senador se le ocurre pedirle consejo nada menos que a Beltrán, un tipo bastante definido con sus ideas. Beltrán dijo que en este país la vagabundería cunde. En la calle la cabeza del senador rondaba los diez millones de pesos. Lo acribillaron a pleno mediodía frente a una panadería en la Avenida Lincoln».

Lubrini asiente y se roba un minuto para estudiar el apartamento del desamparo; en las esquinas se acumula una costra que no saldría ni a cepillazos; en el aire una peste a sieso de loco. Lubrini piensa en Dante y Hamlet, en Dickens y en Martha

Rivera. Flavia prende un cigarrillo con la brasa del otro y continúa, «En Puerto Rico, aunque hay miedo en las calles, la violencia para mí es cosa más o menos abstracta. Fui testigo de ella en los noticieros, en historias de otros, pero yo viví siempre en una urbanización con acceso controlado. En Santo Domingo he visto la violencia hecha cuerpo y cosa». Pausa para eructar, retoma sin excusarse. «Ya la reputación de Beltrán estaba por el suelo por el invento de que era un corrupto pero desde que se dispuso a continuar el proyecto del amigo muerto (porque él se tomó el asesinato del senador a modo personal) la vida se tornó paupérrima y vivir en esa constante puede rajarle la paciencia a cualquiera. Beltrán sabía que estaba acabado pero no para matarse».

El segundo cigarrillo muere y Flavia ofrece más cerveza. Lubrini no dice que sí ni que no. Mira los seis pies de altura de la muchacha, las nalgas cuadradas, los muslos celulosos. Imagina los pechos demasiado pequeños para el cuerpazo, los puños caídos, ladeados. No logra imaginarse con ella sudando y pone la mirada en la noche. Desde el balcón se presenta la bahía en donde Ozama y

Caribe se reúnen al resplandor de las luces del Alcázar, el Club de Yates y la Avenida del Puerto. Lubrini quiere regresar a un pasado a quemarropa pero Flavia propone un brindis. Lubrini traga dos veces y sugiere que brinden por los tiburones. Flavia no entiende. Entonces sin que se lo pidan Lubrini arranca con la relación de los tiburones y Beltrán, «Estuve bien mal de la mente durante una temporada entre Puerto Rico y Michigan. Entonces tuve que trabajar en un restaurante y la depre me desbarató. Un día respondí al teléfono. Era Beltrán y retomamos unas terapias que me ayudaron sobremanera. Confesé que la bebida me cogía con violencia... Se me conocen un par de shows, vainas bien deprimentes. Cerraba los ojos y me veía con un montón de puñales clavándome; luego pensé que eran tiburones y ahí la cosa se puso seria. Beltrán viajó a Puerto Rico y logró calmarme sin pastillas ni nada. Me dijo que yo tenía que vivir sin metáforas y tomar decisiones. No me empecé a recuperar de inmediato pero un año después ya yo estaba viendo las cosas desde una perspectiva que no tenía nada que ver con la resignación pendeja sino con un verdadero deseo de vivir. No antes sino ahí, un año después de esa plática con el hombre, llegué a comprender que estuve a punto de *cometer*».

Flavia pregunta por la duración de la estadía. Lubrini contesta con otra pregunta e inquiere por el asunto del entierro. Ella confiesa no saber nada aún y relata sus visitas al Palacio, los cuestionarios y eso. Flavia está esperando a que todo se resuelva para irse. Evitará pasar por Puerto Rico a toda costa. «Para el invierno estaré en San Francisco. ¿Tú dónde te estás quedando?». Lubrini cierra los ojos fuertemente componiendo una plegaria para que la mujer no le pida quedarse en ese apartamento. Tiene tiempo para una mentira, «Ya hablé con Miky...

Tú pierde cuidado... *Anyway* gracias». Flavia no entiende
y fuma. Lubrini sostiene el cigarrillo apagado dentro de
un puño suave. Como a mitad del suyo, Flavia dice, «Yo
mañana desde que me levante llamo a Jonás». Al oír esto
Lubrini finge toser y constata como preguntando, «Ah,
pero entonces Jonás está aquí». «Sí», contesta Flavia,
«si te soy honesta confieso que me ha sorprendido su
diligencia. De él yo siempre esperé menos».

≈

La mujer guía a Jonás hasta un restaurante en la cabeza
del Malecón, famoso por sus parrilladas de mariscos. De
las opciones ofrecidas por un mesero de piel morena
brillante bajo los tubos fosforescentes, se deciden por
una mesa a la orilla Caribe. Desde allí se ve la otra punta
de la ciudad, un montón de basura en una playa diminuta y más allá, el aeropuerto. Jonás ofrece cerveza pero la
mujer prefiere soda amarga con limón y mucho hielo;
espera la retirada del mesero para prometer que toma-
rá algo con la cena. Un perfume mínimo se adelanta por
entre la confusión de olores: langostinos al ajillo, vina-
gretas, corales podridos y aguas servidas. La mujer levanta una mano para tirarse el mechón de pelo hacia
atrás y preguntarle al mesero que regresa con las bebidas
si puede fumar; el hombre chasquea dedos y enseguida
aparece un cenicero mientras un brazo extendido pone
fuego en el cigarrillo. El doctor Marthan dice que no
están listos para ordenar y pide le repitan los especiales.
Un muchacho deja caer una bandeja de platos sucios
sacando a la mujer del cigarrillo o del mar, trayéndola de
vuelta al mundo de los espectros, con el mechón de nuevo desordenándole la cara. Jonás no para de mirarle las
manos y se da cuenta de que no se han presentado, al
menos no formalmente.

Estas navidades Luzmar cumpliría un año trabajando en el hotel. El mercado laboral en Dominicana estaba atormentado y aún con la precariedad zarandeando, Luzmar insistía en que las cosas mejorarían. Ese no fue el caso. Con dos meses atrasados de renta llegó hasta un McDonald's a solicitar empleo. En lo que el gerente de turno reaparecía con un formulario Luzmar tuvo tiempo para pensar en nuevas formas de humillación. El hombre brindó cualquier cosa y aunque ella tenía tres días sin comer agradeció declinando la oferta. Al ver el CV de la mujer, el gerente le sugirió intentarlo en el hotel; allí estaban necesitando gente. La leyenda que cuenta de espejismos en el desierto no es del todo una metáfora: Luzmar escuchó atentamente la dirección del lugar y empezó a buscar señales que confirmaran la suerte.

Llegó al hotel y de inmediato fue referida a la oficina de Recursos Humanos. Una asistente repetía un discurso lleno de posibilidad y bondades. Luzmar asentía haciendo esfuerzos para escuchar a la mujer pero los afiches con mensajes de motivación personal le colmaban la atención. Frente a un sistema de montañas el sol se hundía o se elevaba colgado de un cielo naranja; un hombre y una mujer ataviados con enseres para el alpinismo observaban extasiados. Abajo leía una máxima que hablaba del optimismo y la consistencia. Luzmar reflexionó alrededor de las palabras humildad y fortuna. Empezó a completar formularios y le ofrecieron un café que aceptó con gusto aunque la náusea confirmó que estaba demasiado dulce. Contestó las preguntas lo mejor que pudo, luchando por no vencerse, sosteniendo una sonrisa como el amuleto que le impedía ponerse de pie y salir arrasando oficinas y pasillos. Quería hacer un escándalo pero la precariedad la mantuvo quieta y al día. El hambre es un ancla.

La asistente recibió las formas y comenzó a grapar papeles en secuencia. Luzmar supo que una gerente iba a entrevistarla de inmediato. Entonces era cierto, la suerte cedía y ella ahí de malagradecida pensando en catástrofes. Los minutos se hacían largos y pidió un vaso de agua. Al rato apareció una señora como una bendición morena balanceando una jarra de agua congelada y más café. «No lo endulce por favor», atinó a decir Luzmar, a quien la combinación de frío y caliente le serenó el estómago. Las cosas iban bien, demasiado, hasta que se escuchó el sonido de la puerta y un aroma se hizo presente. Más que la voz que dijo «Buenos días» con acento colombiano, Luzmar reconoció el breve perfume. La náusea regresó junto al sudor. La colombiana entró a la oficina sin fingir la sorpresa. Luzmar Pedreira y Helvia Castillo se veían de nuevo las caras.

≈

La cuarta cerveza coincide con el hastío y antes de irse Lubrini pide por favor usar el teléfono. Flavia devuelve una mirada en silencio y Lubrini se siente en la obligación de especificar que las llamadas serán dos, una a Puerto Rico y otra local. Irizarry coloca el vaso de plástico en una maceta de trinitarias y arreglándose el panty ordena, «Procura no tardarte en la internacional».

Lubrini marca el número de Miky quien contesta al tercer timbrazo. «Lubrini qué es esto... Estoy *estupefactada* con la noticia». Cuando se despidieron hace unos meses Miky abofeteó a Lubrini, quien no dijo ni esta boca es mía mientras constataba, mirándose el pulgar, que le habían roto el labio.

Miky dice no tener palabras para lo de Daniel Beltrán. De inmediato indaga cuándo irán a verse. Lubrini entonces tira a ver si pega y se le da: Miky confirma que puede quedarse en el apartamento, si es por unos días solamente claro está.

Lubrini le da continuidad al estímulo y empieza a marcar el número de Helfeld. Al cuarto dígito se detiene. No recuerda el teléfono de la muchacha. Puede buscarlo en el móvil pero aprovecha y pospone: de súbito tiene la certeza que ahí mismo se acaba su historia con ella.

Flavia regresa vestida con una bata horrenda y rastros de espuma dental en la comisura. Lubrini adelanta un *Bueno pues gracias por todo* que marca distancia. La mujer ruega que espere cinco minutos, que no coja calle en ese barrio de noche y a pie. Hace ocho años Lubrini hubiese hecho caso omiso pero después del huracán y el vicio, los escarceos con la muerte y los cuerpos atravesados en Borinquen, el miedo es un todo concreto. Nada, nadie sale ileso.

La mujer marca un taxi y se retira a dormir. Lubrini repara en las columnas luminosas, rombos amarillo quemado adornan la pieza que con poco cuidado sería habitable. Flavia había decidido no limpiar y aclaró que para el treinta y uno ya no estaría ahí. No había empacado. Abajo, un taxi verde confirma por radio la dirección del edificio. Lubrini baja las escaleras y recita una dirección al chofer, quien de inmediato pone un tema a todo volumen y arranca como si llevase una mujer pariendo. En medio del puente Lubrini baja el vidrio para dejarse golpear por el furor de una brisa navideña. Recuerda algunos gestos inútiles y cae en cuenta de que dejó la puerta del apartamento de par en par.

≈

La pistola apareció gracias a Beethoven Villamán.

La muerte de Cativo Soriano (Hitler Faraón) trajo consigo complicaciones legales para los muchachos. Rojo resolvió amparándose en el asunto militar. Fue hasta donde el jefe de cuerpo de la Naval y explicó todo sin escatimar. El alférez de navío Alcántara Almánzar fue hasta donde el director de la Academia y defendió el caso. No convenía que la imagen de Rojo se maculara, no después del golpe al contrabando aeroportuario. Se hicieron unas llamadas por las ramas castrenses más altas y cero huella.

Para Villamán el trance fue azaroso. La familia lo mandó para Nueva York ilegal en pleno invierno. Consiguió papeles en Corona Queens y trabajó el turno *overnight* de un McDonald's en la Bruckner & Willis. Ahí rompió noches y aguantó mucha mierda de los familiares en donde se estaba quedando. La maldad empezaba a abrirse. Para primavera ya había hecho las conexiones que permiten trabajar en el Bronx de madrugada. En el verano hizo traques con Los Trinitarios (una banda de macheteros del Alto Manhattan) y de ahí a picar gente en cantos fue un paso. Cayó y lo deportaron. Llegó a Santo Domingo y en Villa Duarte declaró terreno.

Rojo y él se veían poco. Ninguno se metía en los negocios del otro para así mantener las cordialidades, también un poco para evitarse la incomodidad de la noche aquella. Cuando Rojo se vio con el problema de Daniel sospechó que si esa pistola andaba en Villa Duarte, Beethoven tendría que saber algo. Hizo la llamada y Villamán, sin dudar, prometió tener información para rápido. Cuarenta minutos después la pistola había sido localizada.

Quedaron de verse en la cabeza del Puente de la Biciclcleta, en una banca de apuestas desde donde Villamán maneja sus cosas. Rojo llega, se piden cervezas. Villamán escucha los pormenores del asunto. El teniente resume todo en tres frases. Villamán aclara que si a Beltrán lo trabajaron, de seguro fue alguien ajeno al área. «Nosotros sabemos todo lo que se mueve por aquí».

El tipo de la pistola se muestra proceloso al ver al teniente. Villamán le calma el ímpetu y lo invita a sentarse. Un vaso de cerveza se calienta frente al recién llegado. Rojo pregunta qué hay. El Shequevara (así se llama el chamaco) coloca el hierro encima de la mesa. Está dentro de una funda de plástico junto con un teléfono celular. Dice que uno de los tiradores que bregan con él le vino a ofrecer el asunto a cambio de una deuda y un perico. El Sheque aceptó pero antes averiguó la procedencia. El viejo estaba ya muerto cuando el pana llegó. El Sheque aclara que el pana abrió la puerta del pasajero porque el otro lado estaba lleno de sangre. Rojo insiste en que tiene que hablar con el que encontró el arma y Sheque dice que eso no será posible. Villamán concede y despacha al Sheque. Agramante sabe que debe retirarse y no demora. Marcha con la desagradable idea de que queda debiendo un favor.

DOS
PARADOGMA

Existe una niñez en donde Jonás todavía no sueña con ser Marthan y la felicidad es un vocablo asociado a lo posible. En ese ayer el Malecón es algo más que una lengua negra bordeada de sal: se celebra allí lo fantástico. El padre lo iza hasta sentárselo en los hombros y desde ahí ve las comparsas multicolores, las carrozas derramadas de flores vivas y papel crepé. Todo escarcha y limosina y un poco más allá el mar y la locura, las mujeres tirando monedas a los hombres que se zambullen desde dientes de coral; el agua estrellando contra la tierra, el aire lleno de *cristales marineros.* Bajo un robusto bigote Daniel Beltrán aún no es doctor y sonríe abierto de ojos. Contesta las miles de preguntas del niño con gestos excesivos. La vida está entera y por delante. Mañana para qué.

En la reminiscencia Jonás es específico: la carne quemada de los puestos de fritura contrastando la dulzura de zumos que amargan el cañete, las cosquillas en la nariz por las especias, los dulces de coco con batata, arepas gigantes, toneles de mazorcas hervidas, montones de basura. El sudor de su padre mezclado con la gasolina del Autobianchi 700. Beltrán adquirió ese vehículo gracias a un negocio que hizo con un compañero que se iba para Nueva York. Beltrán prefiguró que podía sacarle provecho en el negocio del transporte público y no estuvo equivocado. Por esas fechas el futuro doctor se quemaba las pestañas en la universidad del estado y sacaba tiempo para hacer de estibador en el puerto de los Molinos Dominicanos.

Gracias a la aventura mercantil del Autobianchi aquellas navidades fueron otra cosa. Beltrán adquirió nuevas planchas de zinc para la casa en donde llovía más adentro que afuera. La madre fue a la carnicería, pagó deudas a comerciantes del fiado obedeciendo a un delirio económico y más allá del cálculo, pudo ir a la Avenida Mella, comprar varias yardas de tela, un juego de ollas y hasta un rompecabezas que sería el regalo de Jonasito para el día de los Santos Reyes.

Arrebatado por las festividades, el joven Daniel propuso a la concubina que dejaran al nene en casa de los abuelos y salieran en una cita. La mujer puso trabas inútiles, cuestión de avivar la llama, pero se dejó cosquillear por el bigote copioso y por la callosidad de su palma. Él sugirió una torsión de caderas y ella quedó rendida de espaldas al colchón. Se buscaron a lo animal, bregando con lo inaudito del otro. El desenfrene les hacía olvidar la pared levantada con bloques de cemento incompletos, robados de las construcciones más allá de la avenida. Daniel mordiendo la concha de la oreja, la lengua definitiva, una mano apretando una muñeca y la otra que fuerza unas piernas supuestamente cerradas. Un juego dulce y denso y ellos levitando alrededor de la luz despedida desde un bombillo sujetado con tres clavos en el cartón piedra que hace de divisor, del otro lado la sala con dos mecedoras y un estante de palitos chinos cubierto a réditos; en la cocina una estufa de mesa con dos hornillas y un tanque de propano.

Agotados y vestidos procedieron al Autobianchi. Sorpresa que se dieron al ver al niño durmiendo en el asiento de atrás. A la madre le dio pena dejarlo allí y propuso que se lo llevaran. El hombre, recién llegado y satisfecho como estaba, no opuso razón. Jonasito despertó cuando Beltrán tomó la Máximo Gómez para bajar al Malecón hacia Güibia. Desde la radio una voz repartía felicitaciones y prosperidad antes de complacer peticiones con un merengue inspirado en los azares de Juana, quien prometió no volver y regresaba de Nueva York esas navidades con una maleta de dádivas y para recibirla el país había volteado calderos y matado pollos y asado puercos y sancochado viandas. La madre buscó al nene con ternura infinita y Jonás confirmó que no era un sueño, allí estaban los ojos mandarina contrastando con la tez trigueña. La brisa trayendo el mar, el perfume de la madre que extiende los brazos preguntándole si quiere venirse con ella al asiento delantero. Beltrán, con la noche por delante detenido ante el semáforo que da al Malecón, dedica una mirada al niño idéntico a su madre: la misma boca, la nariz aplastada un poco durante la risa o el bostezo. Segundos después el niño forcejea para sentarse en la falda, el semáforo cambia, Daniel se pone en marcha y una camioneta Datsun en bola de humo se estrella contra el Autobianchi desde la puerta del pasajero. La noche queda colgada en un tiritar de vidrio. Por fuera pegoste de pelo, sangre y bahía; por dentro, todo hueso reventado. La culpa acaba de nacer.

Gideon Ilsset admite el alivio ante la llamada del teniente. No quiere encontrarse con Filemón. La pantalla del teléfono se ilumina constantemente con nuevos mensajes de texto. Finalmente llama al amigo y miente: está atascado en la oficina por asuntos de trabajo. Luego de una pausa insiste en que deben verse en algún momento de la noche.

Las Terrenas es un pueblo localizado a poco más de cuatro horas de la ciudad capital, en Samaná, punto axial en la historia Caribe.

Gideon empezó a visitar las playas de ese edén poco después del huracán último. Desde una niñez alemana el doctor había logrado formarse una idea certera de la muerte; la cuestión en vez de ilustrarle, mortificaba; con frecuencia se descubría cavilando acerca del gran momento. Como forense combatía el desasosiego manteniendo al día una práctica eficaz, asediando el oficio desde lo filosófico, alejándose de lo técnico. Con el ciclón constató muchas de sus reflexiones críticas. Sabía de los tifones en el Pacífico, de la peligrosidad del Golfo de México y de las nevadas que castigaban el medio oeste de los Estados Unidos pero nunca había sido testigo de la furia natural Caribe. El desvarío climatológico dejó daños sin precedentes y en medio de toda la confusión, en donde hasta él perdió un amigo preciado, Gideon llegó a sorprenderse del esfuerzo solidario que encontraba en ciertos parajes, muy lejos de los telemaratones y las promesas vacías. Luego de enterrar al teniente Imanol Petafunte, Ilsset divagó con el ánimo despoblado, no tanto por el adiós sino por la convicción de que pudo haber muerto en aquella locura de vaguada y balacera. Una noche, luego de visitar un prostíbulo en donde se veneraba la imagen del teniente muerto, tomó calmantes como para anestesiar un mitin. Despertó cuatro días después. Atrás quedaban las pesadillas con prados dulces y veranos en la Costa Brava. Se afeitó prometiendo que iba a intentarlo. Muy pronto cumpliría cuarenta años y quería vivir. Cesó de aplicar el método científico a la vida y transitó a merced del azar. Por ejemplo, una mañana dijo que al final del día tendría un carro nuevo y antes de que cayera la tarde atravesaba la ciudad en un

Volkswagen del año. Decidirse por un vehículo alemán fue coincidencia. De pronto estaba metido en la tripa principal del tránsito capitalino compitiendo con Jaguares y Mercedes. Se detuvo en un colmado a comprar cigarrillos y cervezas. Un grupo de estudiantes compartía botellones de ron y bebidas energizantes, mientras morenos con pantalones demasiado ajustados y toallitas blancas al hombro tarareaban a cintura merengues de ritmo acelerado. Al pasar por entre el compinche saludó y las mujeres sonrieron; más de una señaló el lustroso vehículo en el contén. Con el primer trago de cerveza Gideon verificó la solidez de su propuesta: vivir era complicado; estaba el país, destruido más allá de todo reparo, la corrupción, la narcopolítica... Aquello no parecía importarle al grosso de la población, al menos no de manera evidente, así que si ellos podían evadirse, ¿por qué él no? No era ni siquiera su país. En lo personal estaba el asunto de la soledad y el sexo. Tener pareja era asunto de plantearse, había que proponérselo. Eso sí, evitaría las que frecuentaban solas barras y cafés. Para los efectos Gideon encontraría una muchacha que estuviese haciendo un curso de mercadeo o enfermería; que fuese inteligente o no, era superfluo.

Pero se contradijo y empezó a desandar los bares con avidez evidente. No le iba mal. Con regularidad conseguía engatusar a alguna loca y amanecían en un motel. En esas andanzas conoció a Filemón, con quien de pronto cruzó un puente más que afable. Poco después del primer encuentro ya eran inseparables.

Fue Filemón quien propuso la idea de pasarse aquel fin de semana largo en Las Terrenas. Ellos, salvajes animales de la noche, no tendrían nada que hacer en una ciudad vacía y el amigo convenció al alemán de que todo el mundo viajaría para el pueblecito balneario. Lo económico no era problema, junto con otros conocidos alquilarían una casa con múltiples habitaciones. Gideon dijo a todo que sí aparentando interés. Pidió al amigo que por favor se encargara de conducir y se tomó dos calmantes. Durmió todo el camino. Llegaron de noche. Lo despertó el murmullo de una sonrisa, el cosquilleo de unos rizos y un perfume leve. Abrió los ojos y por segundos confundió sueño con viaje. Era la primera vez que veía a Miralba.

Por las habitaciones de la casona, los viajantes se preparaban para la noche de Las Terrenas. En una calle mínima y sin asfaltar se repartía el número de bares, todos con la misma música e insalvable aura de puticlub. Luego de cenar se decidieron por un chiringuito con pista de baile en la misma playa. Entre el humo y las luces Gideon vio a Filemón transando con Miralba. Pretendió no darle importancia. Lo cierto es que él no había hecho nada para atraerla. Luego de bailar varios sets con la muchacha, Filemón terminó llevándosela a la parte oscura. Gideon se dirigió de inmediato al lado opuesto y empezó a vomitar en el Atlántico. A lo lejos de seguro alguna manada de dominicanidad se aprestaba al agua para llegar a Puerto Rico. Esos viajes salían con la regularidad de una línea aérea. Gideon se alejó totalmente del grupo limpiándose las comisuras con la manga, procurando escupir sin tragar; compró una botella de agua con gas y regresó a la casona. El grupo no lo extrañó.

No conseguía dormir: las planchas de zinc sacudidas por el viento, un merengue a todo volumen que iba y venía por la estrecha carretera, el coro desunido de sapos en el monte. Por suerte había llevado tranquilizantes y mariguana para todo el fin de semana. Ahí mismo partió una pepa por la mitad y se armó un leño. Fumó tranquilamente y se refugió en imágenes añoradas: un primer concierto de punk; los catorce años; un festival en San Diego, California; una muchacha pelirroja que lo desvirgó casualmente. Con la chicharra del tabaco entre dedos y labios concluyó que ser feliz era posible si se atesoraban ciertos momentos, si uno se drogaba con disciplina y frecuencia moduladas; uno podía acercarse a esas brechas que la vida ofrece sin sobresaltos.

Se acurrucó en la poltrona de mimbre. Aún de madrugada, unos gritos animales lo devolvieron a este lado del todo. Sin tener que darle mucho cráneo cayó en cuenta de que la gallareta era la de una mujer pidiendo cosas y dando direcciones desde atrás de la garganta. Al otro lado del gusto un hombre resoplaba alrededor de grandes intervalos. Si la respiración era del amigo, entonces el cuerpo taladrado era el de Miralba. Para cuando Gideon estuvo completamente despierto se dio cuenta de que no había soñado el altercado; tampoco era un delirio la hinchazón en brazos y muslos. Los mosquitos habían acabado con él.

El taxista atraviesa por el Puente Flotante insertándose en el Malecón como si lo estuviesen persiguiendo. Lubrini sugiere, «Mira no es que yo quiera que me des un *tour* panorámico del asunto pero bájale algo que nos vamos a matar mano». El tipo desacelera por el Parque Eugenio María de Hostos; no porque quiere: es el tapón de la gente sentada bajando cerveza y tragando pizza a merced de un merengue alterno y un mar sucio de plástico. Lubrini cae en el asiento trasero de brazos abiertos, pensándose de cuerpo iluminado en multicolor y netamente navideño. Va camino a casa de Miky después de todo lo pasado, del labio roto y de los recurrentes excesos. La relación de Lubrini y Miky: el delirio de la mitomanía. Lubrini mira de nuevo el reloj, se descubre hiperventilando: todos los porqués del asunto Beltrán agolpándose en el torso alto.

≈

En el escritorio de Gideon descansan la .45mm y, en otra bolsa de las que cierran sellando, el teléfono celular. El doctor insiste en la futilidad de hacerle pruebas a la pistola. El reporte está hecho. Rojo Agramante simula que traga; busca una botella de agua que no existe y ruega con voz cansada:

—Tigre, abra las ventanas.

Gideon tira de una gaveta, saca una chata de whisky, dos vasos para café, cigarrillos y encendedor. El teniente explica lo del traslado, no va a complicarse. Si las cosas se ponen obvias no escatimará en averiguaciones con relación al muerto. «Que no es un muerto poca mierda sino alguien a quien mataron o se mató por principios y eso es tan raro como que te llamen del Acuario Nacional, nada menos que un capitán de corbeta, para agilizar un asunto que debería ser rutina». El doctor asiente matando la colilla. Se acerca de nuevo al escritorio, consigue unos guantes, juega con el celular del muerto. La batería no dice nada. Llama al sargento de guardia e inquiere por un cargador de tal tipo de teléfono.

—Y si usted dice teniente que hay o hubo algo entre Beltrán y Tiradentes, de qué le serviría...

—*Leverage,* Gideon —dicen en inglés—, *Leverage.*

—Usted además del traslado quiere una seguridad. Ya veo.

—Tú me entiendes ahora. Tengo la impresión de que esto

es un embarre y la experiencia está ahí: uno se pasa la vida bregando por hacer las cosas más o menos bien y de donde menos te lo esperas viene una plasta y te joden. Metes las cuatro. Te lo digo yo tigre. Dame otro trago.

≋

Luzmar ordena un mero a la plancha con papas salteadas y ensalada. Durante las dos primeras copas de vino blanco, helado, ignora el plato. Jonás duda antes de empezar a comer pero ella insiste que por favor, siempre con un cigarrillo encendido. Comparten trivialidades evitando a todo dar el silencio. Con una señal Marthan consigue un mesero que completa las copas, acaba la botella y ofrece otra al levantar trastes sucios. La desidia en la coreografía del servicio inspira a Luzmar, quien explica que trabaja catorce horas al día seis días a la semana. Llega al hotel a las cuatro de la madrugada, empieza en el *Room Service;* a eso de las diez se toma un café y ya a las once está con el uniforme cambiado haciendo el *Housekeeping.* El joven regresa presentando la nueva botella y se dispone a los rituales. Marthan lo para en seco y le ordena abrirla nomás, que todo va bien. De inmediato repara en sutilezas, en cómo se usan palabras y para mentir con una cotidianidad de miedo. Todo marcha de cualquier manera menos bien.

Trabajar catorce horas diarias es una exageración, de seguro ella está ahorrando para, ¿algún proyecto? Dividiendo el pescado y las papas Luzmar reacciona cínica, «¿Ahorros? No, cómo va a ser». Juega con el tenedor entre los dedos. Jonás sabe que la mujer no terminará el plato y evita dejar en claro el suyo. Sirve vino y le enciende otro cigarrillo. Luego del silencio de humo y varios intercambios de sonrisas Luzmar aprueba por fin el pescado frío, mastica delicadamente.

Jonás se aleja de la mesa sin abandonar la idea de que se excedió con la propina. Con el cambio de moneda calcular este tipo de cosas es imposible. Avanzan por el Malecón. El doctor aviva las direccionales para coger Máximo Gómez arriba. Ella coloca una mano gélida en la del hombre; dice que mañana no trabaja. Pueden tomarse otra cosa por ahí. La noche está entera.

≋

Afuera, el asco y la desidia: el país preparando la fiesta navideña. Con el teléfono de Beltrán ya en recarga Gideon revisa los mensajes almacenados. Sin necesidad de contraseñas procede a escuchar el más reciente. Rojo Agramante, con medio torso inclinado en la ventana, observa el exterior en silencio; el vaso ya vacío aunque con el tufillo de la bebida sostenido entre los dientes. Gideon decide detener el mensaje a la mitad. Saca al teniente de la supuesta calma y asegura, «Rojo, usted tiene que escuchar esto».

Con el aparato en altavoz los hombres son testigos de una voz indefinible que pregona escualos, celebraciones, rencor y costumbres holandesas. Además de exótico el mensaje es extenso. Poco antes del final el sargento de guardia interrumpe para dejar saber que el ayudante del capitán Tiradentes aguarda en el primer piso; anda en busca del reporte que Rojo aún no firma. Gideon simula el reproche.

—Rojo, pero si lo primero que le dije fue que eso estaba listo y pendiente de firma.

El teniente se queda mirando la pantalla del móvil. Gideon lo rescata de la ruina y presiona los botones necesarios para desactivar la voz. Rojo Agramante inhala todo el aire de la oficina para poder moverse, da tres pasos hacia el sargento de guardia y ordena al patólogo, «Tigre, hágase una lista de las diez últimas llamadas. También, búsquese en el aparato los detalles de quien dejó el mensaje. Por ahí es que vamos a empezar».

Van por el Malecón. Jonás baja el vidrio y el mar puede olerse. Propone el bar con la mirada pero Luzmar no dice esta boca es mía y ruega le bajen el cristal de su lado. El doctor hace lo propio y continua la marcha. Más adelante a su derecha la Avenida Winston Churchill, cambiando de nombre, desemboca en una inmensa bola terráquea; en su órbita una constelación de mujeres alegres, transexuales y travestis, le dice que sí a la noche buscando cómo susurrarle adiós al hambre. El monumento clave de la dictadura para la celebración de la paz y la confraternidad del mundo libre alberga durante el día un conjunto de edificios estatales y durante la noche es un prostíbulo. Jonás espera a que la incongruencia antropológica desate la verbigracia de la mujer que fuma sin piedad al otro lado del universo. En la radio, una argentina de voz preocupada sueña con abrir un estudio para dar clases de tango cuando de repente, atacada por la luminosidad de una idea, se pregunta, ¿por qué no ir a tal banco? Inmediatamente después la voz del locutor asegura que esa institución financiera está ahí para ayudarte a cumplir sueños; para construir un mejor país mano a mano con su gente. «¿Un salón de tango? ¿En serio?». Ambos ríen ahora del sarcasmo. Jonás acelera consciente de otras cosas que sí conoce: a) *Urban Legend: Trujillo was shot down somewhere along this road;* b) veinte años más tarde su madre moría en este mismo Malecón y c) después que uno pasa de Metaldom la necesidad de máscaras se anula. Es obvio que irán a parar a un motel.

≈

El guardiamarina de cuarto año Sang Yang es demasiado joven. Sang Yang fue el apellido adoptado por un coreano que llegó a la República en la década del treinta como parte de un acuerdo para desarrollar programas agrícolas. Los orientales recogían los bártulos cuando este hombre decidió quedarse; se amarró a una dominicana. Por años la familia ha entendido (sin poder demostrarlo) que la dominicana trabajó el asunto a nivel de santería. Un moreno de Matanzas la había ayudado y si hubo un cubano envuelto, no es cuestión de dudarse.

El cadete taconea ante la llegada del teniente. Rojo devuelve el saludo mecánico y todavía caminando hacia el muchacho dice, «Qué hay» dejando entrever la molestia. Finge leer los papeles y mira al cadete un segundo antes de firmar. Extiende el documento.

—¿Usted fuma guardiamarina?

—Sí señor.

Salen a las escalinatas. Más allá, un marino en una patrulla Land Rover lucha contra el sueño con un cabeceo violento. Rojo saca los Marlboro y Sang Yang ofrece su encendedor después de prender.

—¿De dónde es usted, Sang Yang?

—Yo me crié en Santa Bárbara comando. Hice el bachillerato en Villa Duarte, en el Politécnico.

Rojo dice *Ajá* con los hombros cogiendo un copazo largo. El humo tarda cantidad en salir. El cadete especifica que lo conoce; que ha oído hablar del teniente tanto en el barrio como en la Escuela Naval. Las palabras del muchacho son sinceras, no está lambiendo saco ni tumbando polvo. No hay necesidad.

—Explíqueme lo del capitán de corbeta asignado en el Acuario. Qué es eso.

Sang Yang busca donde apagar la colilla y con un gesto de la boca empuñada Rojo le ordena apagar en la explanada. En la patrulla el marino parece desnucarse.

—El capitán Tiradentes fue director del Faro a Colón por cinco años. Mientras estuvo ahí parece que el sitio volvió a ser rentable. Hizo un acuerdo con el Ministerio de Educación y por ley los chamacos tenían que ir al museo del Faro y hasta se hicieron competencias de pintura. Lo mandaron al Acuario para que hiciera lo mismo; el sitio se está cayendo a pedazos.

Sang Yang habla con el cuerpo alerta y pausas elementales. Rojo nunca le quita los ojos de encima. El silencio le deja saber al guardiamarina que debe retirarse; se dicen adiós con las manos a media asta.

≈

El teniente comete el error de entrar en la oficina de Gideon sin tocar. Rojo, buscando el teléfono del muerto o la lista solicitada, se acerca al escritorio. No puede evitar la pantalla de la computadora: a todo tamaño, la segunda foto de la chica Miralba, esta vez en posiciones que confirman las sospechas del doctor.

Al fondo de la Avenida 30 de Mayo Jonás hace una derecha para entrar al primer motel. Hasta ese momento lo poco que sabe uno del otro está mezclado con argumentos socio-políticos al borde del panfleto. Hace mucho que Jonás no asedia una mujer, que no consigue su abrazo. Es la primera vez en mucho tiempo que un polvo se le presenta tan bien definido.

Es hasta el cuarto intento que encuentran una cabaña disponible. Luzmar comenta que los moteles están llenos por el asunto navideño. «Todos los años la gente entiende que tiene que celebrar como si el mundo fuese acabarse; luego viene el bajón de enero y el anhelo de carnaval». A Luzmar le parece ominoso el hecho de que la independencia del país se celebre durante el mes carnestolendo. Ominoso, aunque no del todo incongruente. La mujer asiente cuando Jonás propone al fin una ejecutiva. El doctor lo hace consciente de que son más caras pero vaya, la situación al parecer lo amerita. Al menos busca apaciguarse en esa idea.

Jonás hace bajar la puerta enrollable. La mujer procede por escaleras enlosadas. Marthan la sigue hasta la habitación. Allí se ven de pronto convertidos en dos ratones acabados de ingresar a una jaula de laboratorio. Luzmar agradece a lo celeste que el hombre se ocupa del teléfono; Jonás pide dos cervezas y la cuenta. Ella aprovecha para entrar al baño. Marthan enciende el aire acondicionado a toda potencia para no tener que escuchar el traqueteo de la mujer. Alguien toca una ventanilla y por medio de un arreglo arquitectónico que no permite delato, Jonás recibe el pedido y cancela sin dejar propina. Luzmar ya descalza se acomoda en un mueble pequeño. Para Jonás las opciones son el *Love Machine* o la cama, así que sin pedir permiso se le sienta al lado. Beben en silencio. Una estación de radio declara madrugada con baladas insignes. A mitad de la segunda cerveza Jonás empieza a acariciarle las rodillas. Como si no fuese con ella la mujer clava los ojos en unos tafetanes para luego cerrarlos largamente. Marthan comprueba que ella vive gracias al tremendo pecho que expande y contrae en una tersura de fuelle sin pulso uniforme; pellizca un muslo. Ella reacciona abofeteándolo, alargando los brazos, besándolo serena.

La música es una voz boricua dejándole saber a una muchacha que una flor en su pelo parece una estrella en el cielo. Jonás llega alevoso hasta los senos, redondeándolos. Los cierres aflojan. Pasan a la esquina de la cama. Sentado él, la observa desprenderse del vestidito negro. Los pechos son lo que las manos han sospechado; el sexo recién afeitado en tres figuras de lustroso crespo, una mulata sabor a verde adentro; él se dobla los puños de la camisa, la abraza hacia la altura del vientre cóncavo. La felicidad no es un estado, son apenas siete minutos.

La parte de Rojo Agramante que revela el error trata de alejarlo del escritorio pero la curiosidad es siempre más fuerte. Escucha pasos provenientes del exterior y actúa rápido. Para cuando Gideon entra a la oficina el teniente ya está de nuevo junto al ventanal.

El doctor no oculta la sorpresa al verlo allí y se delata descaradamente cuando en menos de un minuto reparte miradas entre la computadora y Rojo y viceversa. Al fin logra moverse y va de inmediato al escritorio. Cierra la pantalla pero la mujer todavía está ahí: en esta fotografía el perfil de Miralba regala tensión en los músculos del cuello; la sonrisa se convierte en carcajada. El ángulo del brazo protege un seno; el rótulo verde en la diminuta toalla sobre el hombro izquierdo confirma que el lugar es un motel.

Por más que Rojo busca abundar en lo de Beltrán el sentido común lo empuja hacia la calle. Algo torpes, los hombres toman decisiones. El reporte ya está, así que el caso queda oficialmente cerrado. Rojo se llevará los resultados dactilares al DNI para probar suerte en el banco de archivos de esa institución. Gideon se encargará de hacer pruebas en la pistola para ver si completa las huellas encontradas o si aparecen otras; el número de serie está trabajado, será casi imposible determinar si el arma está registrada a nombre del muerto. Rojo ofrece hacer averiguaciones con la secretaria y el hijo del difunto para verificar ese dato y el paradero de la persona del loco mensaje. Gideon recomienda cautela, eso es todo. Así termina el día para ambos. Rojo quiere fumar y darse otro trago de ese whisky pero eso sería exagerar la impertinencia. Es obvio que Gideon necesita estar solo, lo grita la manera en que aprieta los nudillos. Cuando Rojo dice adiós, al patólogo le cuesta un instante reaccionar y con monosílabos confirma que sí, que se verán mañana a primera hora.

≈

Sang Yang se cierra un poco de hombros en la patrulla; en el estacionamiento del Acuario espera a Tiradentes. Ágil, el capitán sube al vehículo extendiendo el brazo para recibir el sobre. Con la otra mano saluda; ordena:

—Marino, maneje para su casa.

Dejarán al chofer y luego Sang Yang tendrá que acompañarlo. La idea incomoda al guardiamarina. No quiere estar solo con el hombre.

Ya pasan la oscuridad de la Avenida 26 de Enero. Antes de llegar al Faro el marino hace una derecha, se mete a Los Coquitos y empieza a doblar calles y a enderezar esquinas. Sang Yang tiene la certeza de que va a perderse por entre tanto vericueto al regreso. Eso significa más tiempo con el hombre. Para colmo y costumbre el barrio está a oscuras. Más de veinte horas diarias de apagones. Para el cadete Sang un barrio que se llame Los Coquitos no tiene *break* de progresar.

El chofer se detiene y los tres salen del vehículo para hacer las nuevas reparticiones, modifican espacios. Cumpliendo la profecía Sang Yang da vueltas por la locura de callejones. Para cuando logran salir a la avenida ya llevan cuatro pequeñas. Sang Yang no le gusta beber con el hombre pero el capitán ni siquiera insiste; sus palabras son mandamientos así que simplemente pide siempre de a dos y punto. Extrañamente la conversa de esa noche no gira alrededor del sobre cerrado. Tiradentes teoriza sobre lo que es ser un Hombre Dominicano. «Mire Sang Yang, usted si se lo propone puede ser gente en este país. Y usted se cree, Sang Yang, que yo voy a darle una cantaleta; usted va a creer que lo que le voy a decir está pasado de moda. Usted es juventud. Yo lo sé. Pero mire a Trujillo y no lo mire en el sentido que usted y yo sabemos, Sang Yang. Mírelo desde el punto de vista de un consenso social. Aquí no había Estado sino hasta el trujillato. O sea, la idea de un Estado Dominicano, Sang Yang».

Nada puede ya rescatarlos de lo patético.

Logran salir del barrio agotando la Avenida Mirador del Este. Sang Yang hace derecha cogiendo España y el capitán intenta retomar la cordura. «Sang Yang mire, yo sé... de que hubo propaganda, hubo. Lo vendieron como un dios, esa es la única forma que se puede explicar lo del retrato en cada casa y eso. Era una vaina bíblica. Pero bueno, con decir que hay que tener cojones para cambiarle el nombre a una ciudad. ¿Usted quiere venir a hablarle al dominicano de dignidad? ¿Usted no ve cómo han cogido lo de Las Mirabal para hacer payaserías? ¿En este país?».

Sang Yang está definitivamente agotado para cuando coge por San Isidro. No va a demorarse más; esto tiene que acabarse y lo lleva a su casa. Ya. Pero el capitán, después de la bifurcación en donde la autopista se convierte en moteles, le ordena detenerse.

—Última cerveza, Sang Yang.

El chino ofrece pagar esta vez; consigue respirar hondo frente al mostrador. Regresa al Land Rover y acelera de un modo que sorprende a Tiradentes. Hay silencio hasta la casa del capitán que insiste inútilmente en una filosofía. «Pero Trujillo fue un hombre de la milicia. No lo mató la guardia, lo mató la CIA. Balaguer tenía a los militares o ellos lo tenían a él. Ni Salvador Jorge Blanco y ni el que se mató, este, Guzmán, supieron bregar con la guardia. Ahora mismo qué usted quiere que le diga, Sang Yang. Usted se cree que la calle ha cambiado, Sang Yang».

De la perorata pasan a las órdenes. Este momento es el definitivo, siempre, para Sang Yang. El capitán enciende un cigarrillo y se ajusta las gafas. Lleva el cuerpo regular en tamaño pero bien cuidado; usa ropas exactas y a la medida. El capitán se considera un guardia de antes. En eso basa su teoría de lo que tiene que ser el *Dominic Anus Male.*

≋

Dominic Anus Male: «Juan Bosch fue derrocado en 1963 porque Balaguer le vendió la idea a los gringos de que la tortilla podía virarse y el país se podía convertir en la segunda Cuba y Kennedy y todo eso. Ahí se prendió lo de abril (mes dulce para la revuelta) que pasó dos años más tarde. Muchos de los líderes que favorecían la Constitución entregaron lo letal por medio de negociaciones y quedaron con las manos en el aire. Entonces Balaguer hizo lo que tiene que hacer un Hombre Dominicano y con cariño les metió también fundas coloradas y sacos de arroz y galones de aceite and The Red Massacre Band. Se inaugura una nueva era de mercadeo político *(Dominio Anus Intelectualectus)* con mucha televisión: vas y haces el ridículo y te tiras desde la tercera cuerda o lanzas un dado o adivinas cuánto vale el show y es posible que te lleves para tu casa una nevera o un salami. Se desmoraliza la clase media. Balaguer compra y vende a gusto machacando el germen evolutivo. El gobierno norteamericano, mediante una serie de ayudas y planes para Latinoamérica, inyecta en la mediaisla una gran cantidad de dinero republicano. Esas ayudas autorizan el molote de compañías norteamericanas que se instalan en el país. Lo masivo de las franquicias se dio en tan solo tres décadas. El estilo de vida caribeño, postalita, *Dominicanifornication,* lo colonial en el cuerpo, no en la tierra ni en el mar que muerde. Lo que empezó con compañías como Alcoa y la Gulf & Western va ahora por McDonalds y Martinizing».

Gideon Ilsset llega a la Zona Colonial. Sale del Volkswagen para ser asediado por un enjambre de hombres que prometen cuidar el vehículo. El doctor los va despachando con indiferencia pero no puede salvarse del manco que se aferra al ruedo del pantalón. Gideon encuentra una moneda de a diez. Falseando la diligencia el zarrapastroso ofrece a cambio un pedazo de cartulina.

—Tenga, mi pana. *Éte é su recibos.*

Ilsset observa el pedazo de cartón ajado hasta que lo interrumpe la vibración del aparato. Es Filemón que textea, «Coño mano pero acaba de llegar».

Segafredo, el punto de reunión, es un café *lounge* que logra calar en el gusto de la Generación Vodka Electronic. Pidiendo permiso en un tono que nadie va a escucharle, el doctor se hace paso hasta conseguir al amigo. Está el chamaco en una suerte de cama egipcia recubierta con unas telas que se mueven al vaivén de los abanicos que intentan aplacar el tizón flotante. Filemón ofrece asiento pero Gideon lo evade gracias a la maligna certeza de que no encontrará acomodo. Todo es frenesí, gente tocándose y bocas abiertas. Decide la cantidad de tragos que va a tomarse; se promete que para la mitad del tercero ya Filemón sabrá de qué color son las rosas. Entonces unas manos lo sacan de balance y en menos de nada cae de bruces en la colchoneta. Se vira con una malapalabra en alemán (cuando uno se ve apurado o cuenta dinero siempre recurre a lo vernáculo) para encontrarse ante la risa y los ojos melosos de Miralba.

≈

Gideon llega rápido al quinto trago. Miralba abraza a Filemón para comérselo y con la mano libre sirve bebida marcando el bajo con la punta del pie. El doctor no sabe cómo acomodarse y sufre con la espalda encorvada; se pone de pie para irse a la mierda. Ella le rompe la caja de los elementos con una mirada. Ella, besando al futuro marido mirándolo a él. Gideon constata que sí, que la muy hija de la gran piedra es la que está enviando las fotos. No hay manera lógica de explicarlo. Cuando repiensa la palabra lógica se le hace invariable recapacitar en el significado del manco y el ticket ajado que supuestamente es una garantía de seguridad. La palabra seguridad es la que provoca el desvarío.

La carcajada grande es para sí mismo. Se lleva la mano al esternón reconociendo un respiro que vibra; aguanta la náusea. Dentro del baño la primera arcada le desbarata el equilibrio y de rodillas entre lodazal y toallas sucias, se ve de cara al inodoro. El olor que lo completa sabe a mercurio y en un segundo intento logra exprimirse el torso y escupir una sanguaza de bilis. Todo dura siete minutos. Ya de pie y con un puño de papel servilleta en la boca se da cuenta de que está empapado de sudor. Afuera, la voz de un hombre exige, harto de esperar, quiere usar el baño también. El patólogo forense Gideon Ilsset quiere a Miralba muerta, desnuda sobre la mesa en el sótano del Palacio y una canción de Paolo Conte... Sabe que si alguien le pidiese una descripción de la felicidad, él la asociaría con el sabor a pólvora de la vomitada.

Para Miralba Ponce siempre fue sábado. El papá montaba a las nenas en un Chevrolet que había arrasado con toda presea en las kermeses para premiar clásicos. En la añoranza la mamá va siempre adelante, con blusa escueta y falda plisada de un almidón que hace frufrú. El tiempo en la casetera va dividido entre un disco de Miles Davis eléctrico, de Rolling Stones y cosas de Cortijo y Maelo. A todo eso, para que el recuerdo sea sábado, Miralba añade el olor de la Zona Metro hacia el Borinquen rural. El padre habla de los pueblos que crecen al lado del asfalto, explica que ese sistema de carreteras fue diseñado por los marines norteamericanos cuando invadieron la isla en el 1898, que igual hicieron veinte años más tarde en Dominicana y que quizás en Cuba también pero él no se atreve a hablar de los cubanos porque ha visitado aquella isla más de una vez y para él esa gente es un misterio.

Pero llegan a Ponce y la vida es otra cosa. La madre y el padre intentando quererse en el balcón largo de mecedoras que tragan niños. Existe una foto de Miralba con tres años, engullida por un mueble de aquellos. Por la reminiscencia, por el olor a melao de la siesta, por la sangre que delata en el interior del muslo, por el hecho de que el océano no puede oler a mar, por esto y por tantas cosas más, Ponce es Ponce y lo demás es *parking*.

Diciembre llega entonces azotando los cristaleros del piso superior. Miralba se desarma ante el frío que devuelven las baldosas los sábados a las tres de la tarde. Recién cumple trece años y los padres consideran dejarla una temporada en la casa del sur para aquietarle el nervio del tormento que la conmemora cada vez que un chamaco llamado Varcálcel la consigue a las tantas horas de la noche. Ella de lo más tranquila acepta la fuerza de su destino pero lo que va a joderse no tiene remedio. Miralba, contemplando cada sábado al ramillete de negras con guardapolvo y cofia sacar los interminables juegos de sábanas de sisal holandés y a sus innumerables tías, jamonas todas, rellenar cada hueco de la casona con furor naftalina; Miralba, para quien el sábado es el día en donde se duerme hasta las ocho, es feliz hasta que llega el lunes y reconoce que excepto el sábado, Pon-ce es diferente cada día.

Presa de la desidia, atribuye el desvirgamiento a la desgracia de estar viviendo en un pueblo de fantasmas. Según la joven, no puede caminar por las plazas sin que salga un muerto al paso. Es siempre el mismo espectro: un moreno de pómulos jalados, bigote copioso, camisa blanca con moño y chaleco y pantalones a la Chaplin. El muertico lleva el ceño fruncido. No va molesto pero sí muy decaído del ánimo. *And then is Saturday Again.*

Poco antes del primer aborto, la Tití Zeta (la tía que se podía sacar del montón) se le acercó con el tazón humeante y abrió todas las ventanas. Una luz llena de fragmentos de mosquitos serenó la habitación. La muchacha no quería café pero el primer trago la puso al día. Tití Zeta, con un cepillo con puntas de porcelana (dueño de una tradición oral), doradísima bajo la presión del sol y la menopausia, acariciaba la melena desde la nuca.

—Qué mata de pelo mi niña Miralba.

Las manos libres de compromiso en los dedos, dividiendo en surcos de ébano la cabeza de la muchacha de senos pesados, de inmensas caderas, de ese color de piel que cambiaba de color según el estímulo. Tití Zeta extendiendo la palma para encontrar los óleos: sándalo, limón dulce, yerbabuena, y Miralba con esos ojos azabache, el cuello rosado, mundano el colmillar, insistiéndole a la tía que porqué ajuares y tanta delicadeza.

Tití Zeta contestando, con las manos que masajean ahora la nuca, luego el balcón del pecho, le canta, «Lo hago porque debe hacerse... porque las otras curcusias te han echado en pozo pero yo no. Creo en ti Miralba. Tú vas a lograr encontrar lo tuyo, lograrás salir de esta casa. Te soltarás el pelo y los viandantes se volverán toscos, se retrasará el comercio, endulzarás el vino a los viajeros, desviarás las balsas y las yolas, interrumpirás el sueño de los gusarapos y sostendrás el vilo para que no se pierdan los aviones. Te cuido porque gracias a la sustancia de tu pelo todas y todos llegarán en aras, a querer saber cuántos años tienes, cuánto cobras, cuánto mides, cómo te llamas».

Años atrás, en el domingo de un resort dominicano, Luzmar Soneira miraba la vida de afuera derretirse mientras el aire de su habitación la mantenía erizada. En la cama, Helvia Castillo, la colombiana, roncaba como vaca en el pasto.

V., el novio de la colombiana, trabajaba para una compañía farmacéutica gringa que tenía sus cuarteles generales en la vecina Isla del Encanto. V. se había destacado en esa compañía al proponer el traslado de las operaciones a El Salvador ya que allí le estaban ofreciendo un *tax break* enorme. Los gringos vieron cuánto se ganarían y sin pensarlo tres veces un fuetazo de familias boricuas quedó en el aire.

≋

Por esos días Luzmar también tenía un amigo con derecho con el que ella quemaba la pista. Ese fin de semana supuestamente iban a salir en un dos para dos pero al novio de Luzmar se le presentó un inconveniente. El tipo, bien consciente él, le rogó para que se fuera el fin de semana y la pasara bien por ahí. Entonces se fue con la pareja.

≋

La Autopista del Este es una belleza, el tramo favorito de Luzmar en todo el país. Para el Sur la pobreza deprime; para el Norte pues sí, es bonito, pero depende. Luzmar, de sentirse atribulada, nada más tenía que manejar y coger por Las Américas y ya llegando a Boca Chica era feliz. No hay nada como bañarse de noche en esa playa asediada de luna y policías.

Después de una desabrida cena en el buffet los tres fueron a disfrutar del show turístico del hotel. Era impresionante ver cómo el tipo de la clase de *Merengue Aero-bios* al lado de la piscina es el mismo que con una corona de pavorreal canta *O sole mio* y dos sets después, con unos pantalones de cuero y con el pecho lleno de escarcha dice con las caderas: *Guataneri Gonzu -Yupi pa ti - Yupi ma mí/ Uni Uni Guatanza - Upenjú Upenjú.*

Los tragos que le caen peor a Luzmar son los cócteles dulces o de colores. La colombiana propuso shots de Bififtitú. El show se acabó y la noche se convirtió en discoteca. Una doña que decía ser de Wisconsin se reía al agarrar las nalgas de los meseros que minutos antes bailaban en escena y ahora barrían el vómito en los baños. Entre el meneo de luces Luzmar y Helvia empezaron a tenacearse con V. Luego decidieron meterse a la piscina. Ya en la habitación nadie se puso en las de que no. A pesar de, a Luzmar todo se le antojó algo incómodo; entró al baño un minuto, se evitó en el espejo y saboreándose la boca decidió cepillarse. Para cuando salió, Helvia se estaba tragando al novio por la mitad y él con la punta de los dedos le sintonizaba los pezones. El corazón de Luzmar empezó a toser.

Fue Helvia la que extendió la mano. A Luzmar le costaba levantar los talones; tuvo que agarrarse de las muñecas del hombre para no caerse. La colombiana buscó la boca de Luzmar y dio con una lengua que la encontraba en círculos. V. se tiró eructando a la cama, encendió una lámpara. Partidas por un ocre las mujeres se apretaron en abrazo de mordida. Entre viaje y viraje era difícil saber quién era quién. Y no era necesario. Se estaba bien allí. Hay goces a los que nada más hay que abrirse.

≈

En la puerta de la casa de Miky hay una nota: llegará a eso de las dos. Lubrini se quedaría a esperar ahí pero no. Baja dos cuadras hasta la Avenida Independencia y entra a un colmado. Pide una cerveza grande. No se ha bañado desde anoche y el olor ya importuna; se suda diferente en Santo Domingo. En la barra hay un cubano alto, fuerte, de pelo largo y una bizquera. Va acompañado de dos cueros: una prieta bien grande y otra curcusia de seguro con dengue.

Daniel cuenta que salió de Cuba con visa normal hacia la República; ahora está ahorrando (su hermana, desde Puerto Rico, también lo ayuda) para irse en yola. Las mujeres salen a fumar y Lubrini pregunta por la razón de los vicios. Cuba explica que para él perder su tiempo enamorando a una dominicana mejor va y le paga. En esa Avenida hay para escoger. Lubrini piensa en la geografía onomástica de la ciudad y sus contradicciones. La Independencia es un Red Light District.

El blanco de Cienfuegos opta por retomar el hilo de su noche y con varias malas palabras sube a las mujeres en un taxi. Lubrini se queda en soledad con los que atienden el colmado, quienes miran un juego de pelota de la Liga Invernal. Lubrini, que no sabe un coño de la vida deportiva, se queda sin poder hablar; le sobra espacio para la contemplación y el horizonte no es grato. Flavia, Beltrán, y por ahí anda Jonás. Van a tener que verse en algún momento. Entonces vira el pensar hacia un tópico no menos incómodo.

El tiempo entre Lubrini y Miky no terminó bien. Miky había logrado conseguir trabajo en una serie de televisión como productor. La protagonista, una muchacha en lo mejor de sus veinte años, se volvía loca con el tipo. Contra todo precedente terminaron viéndose más de

una vez. Miky tuvo que contárselo a Lubrini, a quien se
le apoderó un cinismo y propuso que hicieran un *trisom.*
A Miky no le sorprendieron las cosas al momento e incluso se dejó llevar por las bromas de Lubrini. Un jueves
de tequila empezaron a transar alrededor de la jeva.
La muchacha no estaba cien por ciento pero se dejó
arrastrar. Lubrini, cuando cuenta esta historia para dentro de sí, insiste en que el error estuvo en la bebida porque con el alcohol hay una raya certera entre la desinhi-
bición y el *badtrip.* Llegaron hasta la habitación. La chica
pidió que por favor apagaran la luz. La lengua tenía que
pesarle toneladas porque le costaba un montón articular.
Miky levantó un tanto la blusa. Los senos eran adoles-
centes de pezón largo y cartilaginoso. Lubrini clavó una
rodilla en el colchón, quedó en una posición patética
pero no procuró enderezarse; desde ahí trazó una mano
que acarició la espalda baja hasta alcanzar el exceso de
grasa infantil en la cintura. Supo que la muchacha estaba
temblando. Desde algún colmado llegaba el tempo de
una tecnocumbia. La fosforescencia del letrero de una
banca de apuestas permitía a las sombras reconocerse.
Miky, con gusto, buscó la boca de la chamaquita. Sabo-
reó un agridulce a tequila y cerveza, sintió rastros de
comidas anteriores, de ahí se detuvo un buen rato en el
pecho besando el final del esternón, oliéndole el vientre.
Cuando se propuso desabotonar, el pequeño temblor se
rompió en algo convulso. Lubrini se dio cuenta de que la
muchacha estaba llorando. Su rostro, antes amable por
el brío de sus veinte años, se descuajaba en una máscara.
Luego un chillido. Miky corrió a encender la luz pero
fue para peor. La muchacha en histeria. Lubrini le gritó
dos veces. Miky quiso moverse, el cuerpo le decía *tenme
confianza* pero no había dónde. A los ataques la muchacha respondía apretándose de brazos cruzados. Cual-

quiera creería que buscaba cubrirse el pecho aunque para ello le hubiese bastado con la palma de una mano. Lubrini terminó por perder los cascos y la agarró por un codo, levantándola al mismo tiempo; logró sacarla de la habitación y luego del apartamento. Poniéndole nombres. Escupiéndola. Se incorporó semidesnuda, suplicando la dejaran entrar de nuevo; encontró una puerta cerrándosele en la cara. Lubrini se preparó un trago y regresó a la habitación, en donde un Miky que se había reencontrado terminó por enfrentarlo. Ante el acoso Lubrini abrió la boca para injuriar. No terminó la primera palabra. Miky, con la mano cerrada, conectaba ramplimazo tras otro. Sacó a Lubrini a patadas del apartamento y dejó entrar a la muchacha protagonista, con quien siguió viéndose por dos meses.

≈

Para Rojo fue agradable ver los hombros desnudos, la sonrisa y el pelo de la mujer en la foto. Una imagen para crearla infinidad de veces con el nombre que se quiera.

≈

El motor se atrabanca justo al cruzar el Puente de la Bicicleta. Agramante se detiene en un tramo iluminado, busca la manera de volver a arrancar. No debe estar en ese barrio a esa hora por ahí, aunque él fuese policía. A las malas llega al Destacamento de Villa Duarte, detrás de Calero. Los policías de servicio comen pollo asado con yuca y wasakaka en el escritorio de la entrada. Una vieja con la cabeza partida aguarda en la oficina del sargento de guardia. Nadie se pone en atención cuando Rojo entra con las manos llenas de grasa. «¿Qué usted quiere?», mastica una voz.

Rojo le ordena al cabo pararse en atención, el cabo se incorpora, pero para meterlo preso. El teniente se identifica y el policía se excusa relax. Uno de ellos ofrece llevarlo a su casa, el motor puede recogerlo en la mañana; el otro extiende el plato de plástico con un costillar a medio comer. Sin agradecer Rojo dice que sí al viaje y al pasar pregunta por la señora herida. El policía, encendiendo la patrulla, explica con dejadez y grandes pausas que el hijo de la doña le partió la cabeza con un bate.

Del Darío Contreras la trajeron para acá porque ella se negó a regresar a su casa. Rojo ordena por dónde doblar y luego añade que vive cerca, en la Galíndez casi llegando a la Venezuela. Hacen el viaje en silencio. Por más que Rojo quiere regresar a la segunda foto de Miralba, la cara de la vieja lo acerca al recuerdo de su madre. En la cotidianidad, antes de la muerte del marido, Estelvina era una mujer normal en la medida de lo posible. Como hijo, Rojo nunca le descubrió una pasión.

Al salir como brigadier de su promoción y por los favores que había prestado al Cuerpo, Rojo consiguió un puesto envidiable en el aeropuerto. Con el dinero producido pudo alquilar una casa grande en el Ensanche Ozama y traer del campo a una sobrina de Estelvina para que la cuidase. El manicomio iba a cerrar porque las condiciones eran paupérrimas y el director estaba cansado de limosnearle al Ministerio de Salud. El director del 28 (así se llamaba el locosorio) comenzó por localizar a los familiares de los pacientes para que fuesen a reclamarlos. Esto fue un trastorno para algunos ya que las familias se habían olvidado completamente de ellos. El caos reinó. Pero Rojo pudo salvar a la doña a tiempo y la instaló en un segundo piso del Ensanche con terraza y todo. Incluso, fue posible conseguir espacio en una práctica privada con un psiquiatra de Gazcue y podría decirse que Estelvina mejoró, en el sentido que engordó quince libras y hasta aceptaba que la peinasen y la sacaran a caminar al parque media hora todos los días. Los fines de semana ponía discos de salsa; de su preferencia eran el Gran Combo de Puerto Rico y Cheo Feliciano. Por algún conflicto nunca puso nada de Héctor Lavoe.

≈

La cama del motel es incómoda. Los cuerpos resbalan por su propio peso hacia el centro del colchón a ritmo de un desagradable murmullo plástico. Jonás deja la nuca reposar en una almohada diminuta, forrada del mismo material del colchón. La mujer, a suaves cabezazos, encuentra lugar entre el hueco del tronco y la axila y consigue reposar la cabeza en el pecho del hombre. Helos ahí, a más o menos veinticuatro horas de haberse conocido y ya cumpliendo ritos olvidados por parejas que alguna vez se juraron eternidad y caricias. Al arrullo de lo que un sobrio locutor define como Boleros para todas las épocas, Marthan consigue quedarse dormido. Siente que una pluma gigante le oprime el pecho. Sueña: está en Salinas de Baní, frente a él el mar y a sus espaldas un desierto enano. Espera a una mujer llamada Omay mientras en una barra un señor antiguo prepara tragos bajo un afiche de los *Blues Brothers.* Un sargento llega con malas noticias; lo hace preso. Abordan una barca diminuta, remando llegan a un cuartel militar sacado de una película gringa de la segunda guerra. Es sábado, no puede ser otro día. Allí lo esposan ante la mirada de un teniente. A Jonás le autorizan una llamada y de ahí en adelante es presa de una taquicardia; lo colocan frente a un teléfono negro y obsoleto, disca un número largo, el número llama y por entre el vacío imagina a Omay cosida al teléfono, puliendo rosarios. Pero la voz del otro lado es la de Frank Sinatra cantando con Antonio Carlos Jobim. Un sueño bravo y feliz.

Despierta sobresaltado debido a los alaridos provenientes de la habitación contigua. Luzmar está en la ducha. Jonás, totalmente desnudo, abierto en el centro del lecho con la derecha en el corazón, aguarda. Por un momento quiere cerrar los ojos y reconectar con la lenta melodía del sueño. Pero no. La madrugada se manifiesta invitándolos a marchar. Un gigante torpe y envidioso mueve los hilos desde la bóveda celeste o el alcantarillado. Hay que salir y ponerse al día, hacer diligencias, verse con gente.

TRES
AXIOMA

.

Luego de recibir la noticia de la muerte del padre, Jonás Marthan se desveló escribiendo una carta larga. En el vigor de la mañana tecleó en el buscador *funerarias en Santo Domingo*. Salieron centenares de opciones. Resolvió a la primera llamada. Tiró unos cálculos y compró un vuelo. Gracias a las sugerencias del agente funerario la transacción resultó ser expedita y rentable.

Las alarmas se activan a las nueve de la mañana. Contrario a su costumbre, despierta con el rastro del sueño vivo. Se queda unos minutos de ojos abiertos y pecho abrazado. No es cansancio sino miedo lo que le impide moverse. La resignación no llega. Marthan logra ubicarse en una esquina del lecho. Se incorpora de golpe. Un paso y otro, llega al cristalero. Queriendo olvidar los contornos de la mujer se precipita telepáticamente hacia callejones y cañadas de esta ciudad, una ciudad muy diferente a las postales que alucina durante el abrazo del recuerdo, la madre muerta, un tesoro pequeño.

En el teléfono de la habitación espera un mensaje que quiere sea del teniente. Es el servicio de comunicaciones del hotel dejándole saber que debido al letrero de *Do not disturb* su recámara no fue atendida. De necesitar toallas o *amenities* favor comunicarse con recepción lo antes posible. Gracias por elegir el hotel. Se ve tentado a obviar la calistenia con la que da pie a sus rutinas pero lento, separa las piernas hasta conseguir colocarlas en paralelo a los hombros, aspira hondo dejando caer la nuca, la barbilla toca el esternón. Exhalando se derrama vertical hacia el piso y abarca los tobillos. Aprieta el costillar, los músculos del vientre bajo, área femoral activa, torso y hombros colgando, la cabeza pesada. Inhala lentamente, recuperándose del todo y disfrutando tanto el estirón como el mareo. Repite. Sabe que no obstante respiraciones y secuencias será imposible aplacar el gusano de pavor parapetado en las paredes del estómago.

Sang Yang despierta con el reloj en la mano para matar la alarma al primer intento. Cierra los ojos. Tira la mano que alcanza a Brenda, una flaca alta y dura, su novia desde el bachillerato. El cuerpo caliente de la mulata se estira como un lagarto dejándose atrapar el arpa de las costillas. Sang Yang da la espalda a la pared, encorvándose; él besa la cabeza de la muchacha, la huele. Entonces suelta el reloj, se desenreda los cojones y se acuesta sobre el pecho de ella, descansándole encima. Ella lo abarca y en un susurro que apesta a bueno, ordena, *Dale como es Sanyán...*

Ya son las siete para cuando el agua sube. Sang Yang cuela su café en un filtro de media; el agua hervida con canela pasa por el fino cedazo y sale hecha café al que el chino pone una cucharada de azúcar refino. Prende un radio con las noticias y plancha de nuevo la camisa. Brenda nunca consigue sacarle los cinco filos.

Ella sale del baño con una bata de gasú y el pelo recogido en un moño que gotea abundante; prende cigarrillos para los dos, beben café. Brenda aborrece las noticias y le da *play* a un disco argentino:

La belleza se encuentra en las cosas rotas
mirá cómo se mete diciembre
de sol aranciata
por el cristalero

Es un apartamento organizado. Pobre en su límite justo. El cuerpo de la mujer tirita recio de frío; es que es casi Navidad. A ella le gusta el cielo azul negro madrugada de las pascuas. Antes de coger calle Sang Yang prende unos velones blancos y verdes en el altar en donde está la foto de Papá Sang Yang y los abuelos; también está Pericles Ng, el primo hermano muerto durante la huelga general del 84.

Abril de 1984 coincidió con la salida de Daniel Beltrán hacia Estados Unidos. Durante ciclos de conferencias que cedió a la Liga Patriótica y sus comités en la costa este de ese país, explicó cómo era posible extender una línea entre estas protestas y la Revolución de Abril del 1965. Bromeaba diciendo que era ese un mes dulce para las conmociones en la mediaisla. El chiste nunca le salió.

Dominio Anus Male: «A Trujillo lo matan en el 1961. El cúmulo de exiliados regresa. Entre los elementos de cambio, Juan Bosch es declarado presidente. Bosch, admirador de los procesos sociales alcanzados en Cuba, abre su mandato hacia el pueblo mediante teorías que fomentan lo antiburgués. El presidente entregó una declaración jurada en donde sustentaba que su familia poseía bienes mínimos. Residía en una casa de alquiler, amueblada con enseres adquiridos a plazos. Los reportes del Centro de Inteligencia de los Estados Unidos aseguraban que el Profesor Bosch era el presidente más serio en la historia del país y probablemente de Latinoamérica. Fue un hombre que destituyó públicamente al director de su cuerpo de seguridad debido a una incongruencia; lo metió preso y desarmó la oficina que manejaba. El código interno para hablar de él era *El incorruptible.* Daniel Beltrán no se había declarado nunca a favor de ningún partido político. Simpatizaba lejanamente con el sindicato gracias a las lecturas y discusiones que allí se planteaban, el acceso a tertulias y reuniones intelectuales. Fue en una conferencia de León Bosch donde se enteró cómo la vida del Profesor corrió peligro. Quien se hizo de dinero en la época de Trujillo, pretendía seguirlo haciendo con Balaguer. Así se consiguió difundir la idea de que Juan Bosch era comunista. En ese tiempo escuchar la palabra Cuba era vibrar. La propaganda norteamericana y local contra la vecina isla llegó a atestiguar que los comunistas bebían sangre de infantes antes de salir a guerrear; que no creían en lo divino, y el dominicano es un pueblo, siempre ha sido, muy devoto. La oposición agotó todo ángulo para atacar las semillas del comunismo. Más de una iglesia exhortó a sus fieles a delatar cualquier vecino que estuviese en pasos raros. Bosch es derrocado por una Junta Militar en 1963. En ese mismo año asesinan a John F. Kennedy. A finales de abril, 1965, Lyndon B. Johnson (bajo la sospecha de que se estaba gestando una segunda Cuba en el Caribe), dispone que una escuadra de 42, 500 marines se integre al conflicto dominicano. De inmediato, los norteamericanos se unen a las filas de los militares que apoyan el régimen. La ciudad se divide en dos: de un lado, el grupo constitucionalista, formado por el pueblo, en su mayoría estudiantes, obreros y militares que proponen que Bosch termine su mandato, y del otro, la Fuerza Interamericana de la Paz, nombre que se le dio a la invasión. El choque entre bandos fue sangriento, dejó a Santo Domingo destruido físicamente pero una vena revolucionaria se había instalado. Al final del conflicto se vieron enfrentados Bosch y Balaguer, quien con los militares de su lado organizó un sistema de represión contra la intelectualidad que había sobrevivido a la guerra civil. Activistas políticos a favor de Bosch fueron asesinados en la calle. Durante la campaña electoral Bosch fue relegado a una suerte de arresto domiciliario. Las constantes amenazas a su vida le llevaron de nuevo al exilio entre España y Puerto Rico. Con Balaguer en el poder por más de tres períodos, la idea de que el comunismo lo cargaba el diablo afirmó sus raíces. Cualquier estudiante podía ser comunista y había que matarlo, o matarla, porque esa manera de vivir era una de las plagas que anunciaban las escrituras. Al cabo de doce años Balaguer fue conminado por Estados Unidos a dejar el poder pero los gobiernos subsiguientes no dieron pie con bola. Antonio Guzmán, presionado por los favores familiares y los increíbles cargos de corrupción en su contra, terminó por darse un tiro en la cabeza. Salvador Jorge Blanco agarró el juego por las mismas fichas. Este no se mató pero fue hecho preso. El punto determinante de su mandato fue la revuelta de 1984. En abril de ese año, en días coincidentes con la guerra civil del 1965, la sangre y la violencia se manifestaron en las calles dominicanas en forma de protestas en contra de las sanciones impuestas por el Fondo Monetario Internacional. La policía empezó a cazar gente, sobre todo a estudiantes, esto hizo que los huelguistas se recogieran y acataran. Gracias a que mantuvo su índice académico por encima de 3.8, Daniel Beltrán fue uno de los más buscados durante las constantes redadas. Un cabo del ejército, amigo del barrio, le dijo que tenía que desaparecer, que era en serio. Beltrán tuvo que dejar al nene en casa de los abuelos maternos y hacer unas diligencias bravas para llegar hasta la Ciudad de la Vega. Desde ahí unos primos hicieron trámites necesarios para conseguirle un pasaporte falso con una visa gringa. Para cuando Balaguer comenzó su fuerte campaña de descrédito al gobierno de Jorge Blanco y retomó el poder en el 1986, ya Daniel Beltrán estaba en Nueva Jersey haciendo centavos la hora en una de las tantas bodegas de la costa este de los Estados Unidos».

La casa de Rojo en el Ensanche mira al parque Papa Juan Pablo Segundo, casi en la esquina que forman la Jesús de Galíndez y la Costa Rica. No hace mucho el teniente pasó tremenda vergüenza en una tarde de bebelata. Al explicar dónde vivía, un compañero de menor rango lo cuestionó acerca de Galíndez y Rojo no supo qué responder. Un silencio fue expandiéndose alrededor de los hombres. El tipo no sabía si arrancar y explicar el asunto o excusarse y conseguir más trago. Lo peor para Rojo era la convicción de su ignorancia. El otro teniente fue a buscar las bebidas y regresó explicando lo de Galíndez. Como un león replanteó todo desde una película cubano-española que se había filmado recién contando el asunto. La película según él no era mala pero se le hacía difícil ver a La Habana haciéndose pasar por Santo Domingo y por ende, con cubanos interpretando dominicanos. Sobresalía una imperdible traba en el acento. «No que los cubanos fuesen malos actores... quién dijo».

El hombre se dio cuenta de que había metido las cuatro y Rojo con una mano dijo basta. Cambió el tema de conversación pero su ignorancia había quedado en evidencia.

Gideon se retiró de Segafredo sin despedirse. Cuando salió eran casi las cuatro de la mañana. Al fondo de la calle desierta encontró el vehículo. Le habían roto el cristal del asiento trasero. Decidió cogerlo suave pero salió raudo sin revisar qué le habían robado. Hizo una izquierda y salió de la Zona Colonial; en la 30 de Mayo tomó derecha. A la altura de la Avenida México le dio hambre y se paró en Barra Payán.

Consiguió una esquina y quince minutos después estaba comiendo. Poco antes de terminar el derretido de queso una mano le golpeó la espalda. Fue la sonrisa de Miralba lo que descubrió a la pareja. Filemón se dio cuenta del vidrio roto en el carro. Gideon le restó importancia. Miralba negociaba con un moreno de bíceps apretados y *bracers* en los dientes. Miralba exigió que Gideon le diera su asiento; el doctor no pudo sonreír: se marchaba. En lo que estaba el pedido Filemón decidió salir a fumarse un último cigarrillo.

Al lado del Volkswagen los hombres hablaron de probabilidades. Filemón mentaba la madre a los cuidadores en gesto solidario con el germano y Gideon, la mano en el bolsillo acariciando el teléfono, esperaba el momento justo para el desacato. Se dio cuenta que odiaba a Filemón, su constante disposición para la burla, su disfrazado egoísmo, la ambigüedad de su propuesta. Él, que se exhibía con la boricua como si fuese una ofrenda.

A ella la deseaba, animalmente.

Sacó el celular y sin encomendarse a nadie dijo, «Filemón tengo que enseñarte algo». El otro lo miró con la línea payasa definiéndole para siempre el rostro. Gideon empuñó el celular y se dio cuenta que tenía el pedazo de cartulina, *su recibos,* en el mismo bolsillo.

En el Sindicato, Daniel cogió gusto por las letras, que puestas y convocadas de cierta manera podían convertirse en el escándalo de la vida. A la par con los tomos de sociología y ciencias políticas en populares ediciones argentinas, Beltrán dio por casualidad con Macedonio Fernández, con Roberto Arlt. Qué locura en su propio idioma, qué maneras de conjugar los mismos vocablos que su voz Caribe cortaba a la mitad.

Entonces un día Pastor de Moya, que así se llamaba su compañero estibador, le puso en las manos un libro de Marguerite Yourcenar, y luego otro. El primero fue *Memorias de Adriano*. Esa tarde habían cruzado a pie el Puente de la Bicicleta. A cada cinco pasos sobresalían con una idea que reordenaría el país. Eran tiempos para sentirse desdichado pero vivo porque se podía ser un agente de cambio, al menos eso pensaban ellos. Si alguien le hubiese dicho a Daniel que en el futuro iba a estar estibando cajas en Newark quizás se hubiese puesto pensativo para luego decir que no, que quién dijo.

Se tomaron algo en lo que en ese tiempo se llamaba La Cafetera, un sitio clásico reseñado por toda la Generación de los Ochenta (El clan de la furia) y que desapareció gracias al huracán último. Se trasladaron hasta la librería de un señor llamado Macalé. Ahí Pastor le entregó el ejemplar de *Adriano*. Al joven Beltrán le brillaron los ojos cuando vio *Traducción de Julio Cortázar* en la carátula. Pastor recomendó tomar las cosas con calma; había que tener cuidado con el argentino. Cuando por fin De Moya soltó el libro, recomendó leer aguzadamente el cuaderno de notas al final. Se desató un aguacero repentino y el vaporizo ascendió desde asfalto ofreciendo una falsa serenidad. Daniel, aunque encontró ridículo el gesto de Pastor, no lo tomó a la ligera. Pidió un café, cigarrillos y se sentó a leer. Compaginó la soledad del romano y sus preocupaciones estelares, su sigue y detente en las bregas del deseo y las descripciones del cuerpo de Antínoo. Daniel Beltrán no sabía que un hombre podía definir tan bien el cuerpo de otro. Para cuando llegó al cuaderno de notas ya cerraban el café librería.

≈

Desde su apartamento en San Carlos hasta la casa del capitán Tiradentes, Sang Yang apenas se toma media hora. Hace unas derechas en la San Vicente de Paul hasta llegar al portón en donde suena el claxon del Land Rover dos veces. Aníbal Tiradentes se demora innecesariamente y de un salto se acomoda en el vehículo. De día es otro; el viejo salamero de las noches es en las mañanas un hombre sostenido por la superioridad que se contradice en una aurora de mangú y *aftershave*. Inquiere de inmediato sobre el estado de las cosas. Sang Yang no quiere hablar pero termina reportando porque sabe que a Tiradentes no se le pasa una; mejor que escuche los asuntos de su boca. El guardiamarina informa que según la gente de DNI, Rojo anda investigando los tres juegos de huellas en los casquillos y la pistola del occiso. El capitán no despega los ojos del parabrisas. El silencio obliga a Sang Yang a proseguir. Añade que la primera huella es la del muerto. Del resto, una está incompleta; la otra, ha sido ya identificada.

≈

Gideon logró sacar el celular del bolsillo para enseñarle la fotografía de la jeva. En lo que lo que descargaba el archivo, Filemón sacó su aparato, que era mucho más moderno, y rogó que le dejara mostrarle algo. La pantalla en el teléfono del doctor decía *Loading*, así que a Ilsset no le quedó de otra. Entre risas, Filemón mostró un video en donde una rana era violada por un mono. Turbado, Gideon pidió no ver más, pero las risas del otro apocaban el timbre de su voz. Al final dijo que debía irse. Filemón quiso convencerlo de que se quedara un rato más pero el doctor se excusó con lo de la ventana rota y un montón de trabajo que esperaba en la oficina. Al doblar en la Avenida 27 de Febrero, Ilsset decidió que no haberle mostrado nada había sido lo correcto. Justo al llegar a la Leopoldo Navarro se dijo en alemán, «Pobre muchacho».

En la oficina tenía varios mensajes. Uno de ellos era del servicio de archivos del DNI. Gracias a las conexiones de Rojo, habían logrado acceso a los registros de inmigración. La segunda huella es de la señorita Flavia Irizarry.

≋

El niño había quedado al cuidado de Ana y Silvio, los abuelos. En un cuartucho frío, con calefacción decadente, Daniel pasaba noches enteras fumando, tomando té negro e ideando formas para comunicarse con el chamaquito durante la llamada sabatina.

El día señalado, frente al teléfono, el hombre duda. Hacer esas llamadas lo pone terrible. Se decide por un par de cervezas buscando balance entre el valor y la razón pero nada, regresa a la vellonera, pone discos de La Fania y de Cat Stevens, de Van Morrison y Johnny Ventura. La décima cerveza es siempre la fotografía de su mujer abrazada al merenguero Sergio Vargas. Del otro lado está él, sonriente; los tres cogidos por la cintura, sudando baile y gozo. Va al baño tarareando *Oh Eighties, what have you done to me...* El temblor del fraseo contrasta con el vozarrón de Fernando Villalona; el ambiente se engalana. Beltrán, puño cerrado mero macho, hace una señal que produce la número once. Trago y lágrima trazan un amargo en la garganta. ¿Dónde estaban esos días? ¿Se llevó ella los colores? En esas fotos la vida tenía sonidos diferentes, quizás los ojos de la juventud regalan ingenuidad al paisaje; una inmortalidad asociada a la belleza. El Adriano de Yourcenar hablando del esplendor en los cuerpos jóvenes a la hora del sacrificio.

Debido al constante asedio policial, Daniel mantenía los libros escondidos, aunque gracias al niño tuvo que dejar rodando por la casa uno de los tomos de la Enciclopedia de la Nueva Juventud. El niño hacía que Daniel repitiera una y otra vez una historia de naranjas que era su favorita. Se quedaba dormido en el regazo del hombre que supo llorar del amor tan grande que tenía por el muchachito. Acariciaba el puño de pelo que coronaba la cabecita que cabía en la palma de Beltrán, quien miraba extasiado la frente brillante, la nariz pelotona y las pestañas de azabache. «Qué terso mi hijo. Un hijo para llevárselo al mar. Para morderlo. Lavaré los pies de mi hijo y no me dolerá corregirlo. Un hijo para que ordene caminos y crea en algo».

≋

La disposición de los espejos en el baño permite que el doctor Jonás Marthan pueda afeitarse el cráneo sin accidentes. Al finalizar coloca un poco de humectante bajo los ojos. Por entre el vapor se acerca al pequeño juego de cicatrices a un lado de la frente. Muerde las muelas; recuerda el golpe y se siembra de talones en las baldosas congeladas. Aspira paz y exhala jodienda. Entonces suena el teléfono. Es Flavia. Va directo al grano y pregunta por el estado de las cosas de Beltrán. Nada; el teniente no se ha comunicado. Ella supone que para estas alturas se debería saber algo. El doctor concede pero admite que un día no es mucho tiempo en un país tan atrasado. Jonás cierra las cortinas y apaga el televisor. Deja caer la bata de baño y toma el teléfono, alarga el cable, se sienta en una de las esquinas del lecho. Flavia pone el tema del suicidio esperando que Marthan descarte toda posibilidad. La muchacha busca cómo tranquilizarse. Ella lo había dejado todo para seguir la senda filosófica del doctor Beltrán. Si el resultado de las cosas es el suicidio, entonces todo aquel andamiaje teórico cae irremediablemente. En Puerto Rico su familia era religiosa pero por más que ella fue a iglesias y organizaciones evangélicas, nunca logró esa chispa en la sangre que supuestamente arrastra la palabra. Lo intentó con el sexo, pero tanto hombres como mujeres le confirmaron que para bregar con gente se necesitan unos genes con los cuales ella no contaba. Con las drogas nunca tuvo un punto medio, o la ponían demasiado alerta o se llenaba de una serenidad empalagosa. Entonces conoció a Daniel Beltrán, no tanto su manera de armonizar las posibilidades sino cómo aparecía con el gesto oportuno. La coherencia de las cosas de su vida. *Ser como él.*

A Jonás toda la cantaleta le sabe a nada. Pero él la deja hablar. Ella pregunta cuándo van a verse. El hombre no responde; entonces la puerta llama dos veces. Jonás no encuentra dónde ponerse. Del otro lado Flavia añade que un ladrón le acaba de desvalijar la casa gracias al espíritu de Lubrini, quien anoche dejó la puerta de par en par.

Antes de colgar Jonás asegura que se verán pronto. Ella estaría esperando en la casa, sale de viaje y su vuelo es en la noche. El doctor se pone de pie. Al llegar a la puerta se da cuenta que va desnudo. La campana timbra de nuevo. Quiere controlarse; se dice que no debe ceder pero ya lo que le palpita en el pecho no es de él. Abre sin preguntar. Del otro lado, un moreno de uniforme arrastra el carro del desayuno. Marthan queda desconcertado ante la voz del muchacho que saluda en inglés.

El doctor se aprieta la bata. El muchacho lleva el desayuno hasta la mesa al lado del ventanal y de un golpe corre las cortinas comentando, *Oh, this is a wonderful view.* Es un acento pedestre. Jonás quiere responderle en inglés para joderlo y retomar la cordura pero el sabor a decepción no lo deja formular nada inteligente. Va a preguntarle en castellano por Luzmar y se detiene al recordar que es el día libre de la mujer. Los pómulos del muchacho resplandecen gracias a un luminoso bloque de diciembre que entra gobernando la fría habitación; mira al huésped con una sonrisa estática; casi extiende la mano para gestionar el limosneo. Jonás llega hasta unos pantalones, encuentra un par de monedas y las alcanza hacia el mucamo, quien disimula el desencanto pero sale sin despedirse verbalmente.

El doctor casi deja el desayuno pero no. Debe de poner atención a las pequeñas cosas y el desayuno es la base para un metabolismo eficiente. Pone mermelada de piña a las tostadas y antes de deleitarse con el aroma del café, busca el aparato donde lleva toda su música; retoma el teléfono y pide todos los periódicos. El amargo del zumo de toronja activa el paladar. Mientras escucha uno de los conciertos de violín de Wieniawski por Gil Shaham, dispone mentalmente las cosas de su día. Cruzará el puente para llegar donde Flavia, no tanto por la mujer; él sabe que Lubrini estará por ahí. Luego regresará al Palacio a verse con el patólogo o el teniente. Si le dan el cuerpo okey, de lo contrario, Daniel Beltrán va a terminar pudriéndose en la morgue.

≋

A partir del fin de semana en el resort, Luzmar continuó viéndose sexualmente con la pareja. Nunca planearon los encuentros. Hablaban abiertamente del asunto buscando confort en la supuesta casualidad de los ágapes. Meses antes de la boda, Helvia Castillo dejó saber a la amiga que la ceremonia se celebraría en una total intimidad. Era obvio que la colombiana no la quería allí. Luzmar hizo como que entendía. Lo que la salvó del fiasco fue tomar esa decisión a tiempo, ya que Helvia (quien demostraba traer un plan ya ensayado), quedó desconcertada ante la afabilidad, la comprensión de la amiga. Luzmar escuchó a la novia hablar otra media hora sobre la situación financiera. Cómo ella, trabajando como una perra, no podía costearse la boda que le hubiese gustado tener. Silencios después pidieron la cuenta y cada una pagó por su lado; mintieron deseándose suerte, conscientes de que tendrían que forzar el saludo si coincidían por ahí.

Daniel Beltrán se instaló en Nueva York. Hizo sus papeles; se procuró un certificado en electricidad y refrigeración. Empezó a ganar bien; no obstante, siempre mantuvo cierto pietismo. Enviaba a Santo Domingo una cantidad un poco excesiva para el cuidado del niño. Se había resignado a la idea de que Jonasito le sería ajeno; conocía muy bien la lejanía, su poder devastador. El hecho de enviar el dinero puntual para pagar el colegio privado y los clubes de karate y béisbol, las clases de pintura y teatro, no lo hacía justo ante la precariedad de su presente. La distancia rompe las cosas, o las oxida. Él era fe y testimonio.

Todos los miércoles, en un sótano apestoso a gas, Daniel ofrecía un taller de cuento a varios miembros de la Liga Patriótica. Hacía esto respondiendo a un llamado al servicio que desarrolló durante sus temporadas en el Sindicato. La asociación estaba compuesta por un grupo de dominicanos ausentes que se reunían a jugar dominó en invierno y softbol en los veranos. Daniel, quien no sabía ni siquiera poner las fichas en la tabla, era un cuarto bate natural. Por ahí logró que los asistentes decidieran hacer algo más productivo que juntarse a la borrachera y al dominó. Para las fechas en que el taller empezó a dar resultados, recibieron la noticia de que ese miércoles los acompañaría el doctor Napoleón Mirabal.

El joven abogado disertó sobre la cuentística de Juan Bosch por tres cuartos de hora, sorprendiendo sobre todo a Beltrán, quien se le acercó corrigiéndole ciertas referencias bibliográficas. Era su manera de dejarle saber que estaba impresionado. Esa conversación dio pie a varias noches de lecturas y debates. Las ideas políticas del joven apuntaban a una obligada reestructuración de la política de mercado. Había que afrontar la realidad, la República Dominicana se manejaba desde unos esquemas neokeynesianos que no dieron resultado en los setenta, cuando el país recibió todo el dólar republicano, y no serían provechosos ahora con el asunto del euro, la amenaza china y el alza en los carburantes. La única opción posible era rehabilitar el mercado desde una economía de servicios: fomentar el turismo y abrir puerta a las franquicias, a la globalización. Daniel escuchaba todo entre la fascinación y la sospecha, pero en la convicción del joven (se llevaban cinco años), Beltrán se remontaba a un pasado con Pastor De Moya y las lecturas incendiarias, al ron y a la ingenuidad de madrugadas. Algo había en este otro hombre; un destello de juventud que en Beltrán ya se había agotado. Fue así como Daniel Beltrán decidió dejarse definir por el rumbo de Napoleón Mirabal.

≈

Rojo se despide de doña Estelvina y baja hasta la patrulla. El policía de Villa Duarte espera, en eso habían quedado. Después de saludar Agramante saca el teléfono. Consigue a Gideon de inmediato.

—Tigre. Dígase algo.

—Voy a empezar por lo de la huella. Es la secretaria.

—Se lo dije Gideon.

Rojo cree haberlo dicho pero no es cierto. Si le pasó por la mente al principio es porque siempre hay que partir desde el ángulo pasional.

—Estoy de camino para allá, o sea, en Villa Duarte todavía.

—¿Qué hace usted en Villa Duarte, teniente?

—Fue el motor... anoche. Mira Gideon, yo creo saber dónde vive la mujer esa. Voy a pasar por su casa primero.

—Ajá.

—¿Averiguó algo de las llamadas, Gideon?

El doctor busca en los cajones un cepillo de dientes. Encuentra la botella de whisky y guiado por el impulso se pone trago. Lo invade cierta felicidad. Una nueva foto de Miralba le ha sorprendido la mañana. Esta vez, detrás de la muchacha desnuda, se ve un cuerpo borroso. Lo está tomando todo natural; ya no queda espacio para la sorpresa.

—Rojo, revisando encontré que Beltrán habló con el hijo hace un par de días.

Antes de cortar la llamada llegan al destacamento. Por razones obvias el teniente no se sorprende al ver el motor desarmado.

≋

Si algo tiene bello Miralba es el pecho. Nunca se dejó intimidar por su cuerpo y encontró maneras de mostrarlo; siempre gustó de la atención.

El reguero de tías le dispensaba odio sin dobles caras. Ella no les puso caso y empezó a tirarse a todo Ponce, comenzando con la clase señorial hasta los braceros. Cuando se decidió por los religiosos dio con un joven pastor llamado Sharon Obrayan. El mulato era parte de una familia curazoleña que se había instalado allí. El clan no era adventista, pero al joven Obrayan le había cogido con ese camino. Miralba recuerda que eran gente muy fina. Sobre todo el viejo Obrayan, el hombre más elegantemente vestido que ella ha visto hasta hoy día.

A Miralba se le tronchó la racha de hombres porque terminó preñada del joven pastor. El tipo en sus trece dijo que ella tenía que buscar la manera de resolver porque él no iba a suspender su ministerio. Las tías propusieron un aborto y ella aceptó como ida. «Qué cosa con las palabras. Una dice *sí.* Una sílaba y *paff,* la vida se te acentúa para abajo». Lo molesto fue el aspecto casual del trance. Un martes en la tarde se montó en un Chevrolet azul metal con seis de las tías. Llegaron a una casa de verjas blancas. En una poltrona, un hombre de cuarenta y dos años exactos fumaba dando largas cachadas bajo un bigote amarillo podrido. Desde lejos podía saberse que sufría de halitosis. Pasaron a un cuartucho pintado de verde aceite. La hija del doctor hacía de asistente en el proceso. «Mi nombre es Arnaldo Liboy», apuntó el

abortero, dejando saber que una de las tías podía entrar a
la sala, si ese era su gusto. Las tías pidieron un minuto y
empezaron a garabatear triángulos de cartulina rosada
para rifarse quién iría. La mayoría de los símbo-
los salieron temblorosos gracias a que en verdad ninguna
quería entrar, o sea, regresar al cuartito.

Un sábado después la decadencia mostró su lado irreparable. Los fantasmas, que de costumbre desaparecían el
día sacro, empezaron a hacer presencia en el oasis de la
semana. Ponce se volvía inaguantable. El fantasma más
triste de todos regresaba a reclamarle cosas desde unos
conceptos filosófico-patrióticos que no tenían nada que
ver con ella. Era difícil seguirle la pista a las ideas del
hombre porque hablaba por entre una mordaza que *le
lenguaba la traba*. Ella se dejó contagiar de la tristeza,
de la incoherencia galáctica de ese fantasmita y trajo lo
único que rescató de esas expediciones de la carne por
las iglesias: unos coros que cantaba con las hermanas
Yayá de Kingston que tenían su chiringuito bautista en
una playa gris. Se juntaban allí los jueves en la tarde a
entonar. Miralba cantaba:

> *Dulce tu nombre clavado en mi boca*
> *Dulce tu nombre sembrado en el mío*
> *Dulce tu nombre si mi boca lo nombra*

El fantasmita se dejaba serenar por la vocalización de la
mujer, mientras ella, loca en los balcones, lloraba por el
dolor de las cosas del aborto, por sus veintiún años, por
el deseo de morirse y no tener el valor. Entonces entendió que en Ponce no iba a progresar. Muchas noches
después, durante los tremendos apagones en Dominicana, se cuestionó severamente el haber elegido Santo
Domingo. Para ella, el refrán *Salió de Guatemala para*

meterse en Guatepeor, adquirió el peso que habita en los años y las quimeras.

≈

Napoleón Mirabal era la representación de un segmento alterno: la clase media que subsiste gracias a la remesa y al tránsito. Su padre logró hacerse cirujano y ejercer en Boston, mientras que la madre se quedó con el niño en una barriada procurando su educación. El plan de los Mirabal era preparar a Napoleón para que fuese a estudiar en un *Ivy League* y que luego regresara a la República a montar un bufete. Las cosas salieron mejor de lo esperado porque Napoleón quedó prendado de la política y a pesar de su juventud había llegado bien encomendado. Además del bufete consiguió una cátedra en la Universidad Autónoma de Santo Domingo. En el sistema político dominicano lo académico e intelectual tienen cierta apreciación.

El joven doctor Napoleón logró convencer a Daniel Beltrán de que se uniera a las filas del Partido de la Liberación Dominicana. Irían juntos a Santo Domingo y expondrían sus conferencias en los círculos de estudio. Mirabal había logrado hacerse un nombre. Su conocimiento sobre política internacional, estrategia y tecnología democrática era envidiable. Sorprendió a todo el que tuvo que sorprender. La intimidación se transformó en ciego respeto. No había espacio para el recelo.

Algo que intrigaba a Daniel era el (des)apego de Mirabal al legado familiar. Cualquier otro político hubiese usado la carta blanca que le daba el ilustre apellido, pero el joven nunca lo sacó en cara. Lo mencionó poco, quizás dos veces. Una de ellas fue una tarde de sol sucio durante el frío de febrero en una taberna del Queens Boulevard, cerca de las celebraciones independentistas. «Para entender el poder que tienen los militares basta con remontarse a la cantidad de guerras desde la independencia hasta la Restauración. Se entiende que por un proceso lógico, cíclico, el país será gobernado por una línea militar. Para este estrato social los civiles no van para ningún lado. Y tienen algo de razón: lo civil comenzó a decaer con la muerte de las Mirabal, y ahora ha demostrado sus contradicciones en el uso de *ese* apellido como signo. Nadie se salva. No, no quiero que me atribuyas un asunto de romanticismo. No. La calle es otra cosa Daniel. Nada que ver con ideologías tropezadas. Plomo y cojones. Es un país en donde te matan para arrancarte un celular. Un país pobre y desorganizado. Pero te cito a un filósofo argentino, *Si bien no quiero nada con el pueblo, tengo el deber de interpretarlo, de comprenderlo.* En eso fue que falló Joaquín Balaguer. En su abierto desprecio hacia la pobreza».

Daniel Beltrán conoció a fondo la literatura de Juan Bosch en Nueva York gracias a un escritor puertorriqueño, Manuel Ramos Otero. Durante un sábado de restaurante chino, Ramos Otero habló largamente de *Hostos el sembrador* y Daniel tuvo que admitir desconocimiento. Fueron al apartamento del hombre, quien cedió la novela junto con un libro de cuentos que incluía la *Tekné* que diseñó el Profesor; otro de los libros fue *La pequeña burguesía en la historia de la República Dominicana.* Daniel pidió permiso y comenzó a devorar. El boricua se puso una bata japonesa, se fumó un tiro y dijo estar agotadísimo; se retiraría a sus habitaciones. Beltrán estaba tan sumido en sus lecturas y cavilaciones que no se fijó en el hermosísimo muchacho que esperaba a Manuel en una habitación decorada con mosquiteros fosforescentes y música de Muddy Waters.

De estas lecturas y otras indagaciones Daniel Beltrán concluyó que el último intento serio de establecer un estado con base humanista despega desde Bosch. Mediante la organización de cuadros revolucionarios remanentes, creó escuelas de desarrollo intelectual bajo el nombre de Partido de la Liberación Dominicana. El proyecto, menospreciado por el poder en sus inicios, reveló fortalezas; en pocos años desarrolló representatividad, (re)definiendo el escenario político. Tanta popularidad despertó la propuesta que terminó llamando la atención de Joaquín Balaguer, quien ya se había desecho de Salvador Jorge Blanco. Arrasó con el hombre. Este terminó pidiendo asilo en la embajada de Venezuela, país que ya tenía sus propios problemas con la corrupción y el petrodólar. Le cerraron la puerta en la cara al expresidente dominicano y lo que quedó fue la ruina, el descrédito y un tedioso proceso judicial que terminó por comerle el corazón.

La figura del Profesor representaba un peligro. El hombre era un intelectual de peso. Hispanoamérica hablaba de Pedro Henríquez Ureña y se veía obligada a concluir con Juan Bosch, quien había sido considerado por los cabecillas del *Boom* como uno de los cuentistas más aguzados. En Puerto Rico, espacio cultural determinante en el Caribe, era estudiado tanto en la calle como en la misma universidad que había encargado a Cortázar traducciones de Edgar Allan Poe. En el plano metafórico se le planteaba como el sucesor de Eugenio María de Hostos y en el plano acústico se le comparaba con Carpentier; en más de una ocasión la cubanía se mostró perpleja ante la decisión del Profesor de abandonar su carrera literaria para dedicarse cien por ciento a bregar con la naturaleza de las cosas dominicanas.

La guerra fue ardua. Balaguer, apocado ante la estatura intelectual del Profesor, puso a prueba los mismos métodos propagandísticos con los cuales continuó desacreditando al Partido Revolucionario Dominicano. Luego de la desgracia de Jorge Blanco, la figura de Francisco Peña Gómez entró al ruedo para agarrar la brida del partido y sembrar el acato en medio de la revuelta. El Peñón de Goma era de tez prieta cerrada, en un país tan racista; era además pobre de los de antes y corrían rumores que ponían en duda la legitimidad de su dominicanismo. La única razón prudente para entender cómo el moreno pudo bregar con todo ese desorden, era su intelecto. El hombre era un adelantado.

Se armó entonces la tríada de la discordia. Los partidos empezaron a tirarse con todo lo que tenían. Mientras Bosch y Peña Gómez mantenían las trifulcas a un nivel de debate que bordeaba lo teórico-filosófico aunque la violencia no era descartada, Balaguer promovía el chisme y la tirria. Un grupo de sus secuaces se encargó de grafitear la ciudad completa con *tags* que le recordaban al pueblo que Juan Bosch estaba loco. En televisión, Balaguer llegó a decir que Peña Gómez era haitiano y que votar por él sería cagar fuera del cajón.

El doctor Jonás Marthan queda atrapado en el tráfico de la Avenida Mella. No tiene sentido ignorar las imágenes que despiertan en él vitrinas y maniquíes, el afán de los buhoneros, la arquitectura de escombros que busca sobrevivir alrededor de las pantallas gigantes y pancartas multicolores anunciando el regreso del dios vivo y las gangas navideñas. Cede ante el acoso de la morriña, combinando así locaciones y memorias: la emblemática estación del Cuerpo de Bomberos desde donde salía la procesión de los Tres Reyes Magos que tradicionalmente concluía el tiempo pascuero; Polanco Radio, la tienda dinosaurio que aún suplía transistores para aparatos inexistentes y en donde por primera vez escuchó el *beat* de Vico C; el Mercado Modelo, allí de niño asistió a las ceremonias de sangre y especias previas al puntual sancocho sabatino sietecarnes y casi al frente de los souvenires; el Cine Lido, que le atrajo no tanto por sus tandas pornográficas, eran en realidad las piernas de la nieta del administrador, una muchacha con la tez del trigo quemado y ojos flamboyán... el fracaso boricua que inauguró la adolescencia.

Se detiene en el cruce que hace la Mella con una avenida bautizada con el nombre de otro padre de la patria. De las mañanas de escuela con agua de limón y pan de batata, Marthan recuerda a Tremols Grullón, quien compartía con él la soledad del aula mientras los niños que se habían portado bien disfrutaban del recreo. El joven profesor de matemáticas le contaba a Jonás que Juan Pablo Duarte, el procreador de la independencia, murió exiliado y tuberculoso en Venezuela. Una mujer con una quemadura cruzándole el torso lanza una esponja llena de espuma al parabrisas y lo devuelve al mundo de los muertos. No hay negativa que valga, ella sigue embadurnando de jabón lodoso el cristal del último modelo. El hombre exaspera ante la luz roja. A su izquierda la Duarte se deja convertir en un Barrio Chino poblado por haitianos. La mujer raquítica termina de ensuciar el vehículo; toca el cristal del conductor con un puño que abre de inmediato esperando lo justo. El doctor baja el vidrio poniéndole en la palma una papeleta de cincuenta pesos. La mujer sonríe, si se le puede llamar así a la contorsión desdentada con la que dice gracias y empieza a bendecir al Mesías. Compone una oración de despedida con las palabras ironía y navidad pero el semáforo da al fin verde. Marthan pone en marcha la nave y parte raudo. En la intersección final, antes de alcanzar el Puente de la Bicicleta, se concentra en la imagen que devuelve el retrovisor: la frente amplia, maculada por un mínimo sistema de cicatrices. «El rastro queda también en el cuerpo y te persigue a través de sensaciones y distancias. Golpes y palabras que dejan impresión por dentro y por fuera como si la carne fuese camino».

La vinculación de Daniel Beltrán al Partido de la Liberación Dominicana coincide con la aparición del Nintendo en las megatiendas. La consola de juegos era ya tema obligado aunque solo algunos elegidos tenían el dichoso aparato. Los abuelos comunicaron al nene que Beltrán estaría visitando para esas navidades. En Jonasito la noticia no alteró nervio alguno, fueron los compañeros de colegio quienes clavaron la espina de la esperanza. Si el papá venía desde la tierra de la abundancia la expectativa era justa. Además, todo el vivo sabía que los viajantes que regresaban a la isla durante las fiestas procuraban desbordarse en regalos. Desde ese instante el delirio formó un cerco que según se acercaban los días iba apretando en un puño cíclope. El niño empezó a escuchar los acordes de los videojuegos en cada combinación de sonido; él era un héroe y los adultos a su alrededor se transformaban en dragones, hongos gigantes y princesas que aparecían o se desvanecían según los mundos y castillos que iba atravesando.

Desde su llegada al aeropuerto John F. Kennedy Beltrán
supo que las cosas saldrían mal. Madrugado y puntual
estuvo en el mostrador acordado pero no vio a nadie y el
vigor comenzó a cederle. Con el tiempo exacto para
chequearse y abordar, el joven doctor Mirabal llegó
acompañado con una comitiva de corbatas y tumbapol-
vos. Daniel, que iba de corduroy, camisa y zapatos re-
mendados, se sintió de inmediato fuera de lugar. Napoleón salió a su encuentro extendiendo la mano. Uno de
los ayudantes de Mirabal le pasó el boleto aéreo y Daniel, sin otra alternativa, se entregó a la maldad.

Durante el viaje trató de concentrarse en el niño aunque
por más que buscó dentro o fuera de sí no dio con el
arrebato de ternura que supone el retorno al candor. La
azafata lo salvó entregándole un sándwich sabor cartón
y un diminuto jugo de manzana. Durante noches y madrugadas construyó la utopía de que este viaje sería una
expedición revolucionaria. Por fin sus ideas acerca de los
ciudadanos y ciudadanas y su papel en la sociedad tomarían forma y peso, acompañadas por las propuestas pro-
gresistas del joven Mirabal. Ahora estaba a más de treinta mil pies de altura con una camada de tubérculos que
no tenían idea de lo que era el Marxismo o la Social De-
mocracia. Las tripas se le poblaron de gasa, sintió congeladas las puntas de los dedos. Dejó la comida intacta y se
hizo pequeño en el asiento. Quiso llorar y no encontró
por dónde.

Luego de un tedioso proceso aduanal y migratorio salió
a la mañana radiante de diciembre Caribe. Los ángulos
que había concebido para evitar la melancolía y la nostalgia probaron ser deficientes y sentirse parte de una
comparsa no ayudaba en lo absoluto. Un cortesano se
acercó con el mensaje del doctor Mirabal. Querían saber

si tenía un traje, iba a necesitarlo para la actividad del partido. Beltrán pudo salirse de su cuerpo y verse convertido en un despojo sin voz. Ante la insistencia del bufón, Daniel hizo un gesto negativo y allí mismo en la acera el tipo entresacó una corbata de poliéster y una chaqueta. Siempre con la sonrisa asquerosa el sirviente confirmó una hora y una locación: la sede del partido estaba ubicada en la Avenida Independencia, allí se verían mañana a las diez. Antes de quedar abandonado en el aeropuerto, Daniel alcanzó a ver el celaje de Napoleón Mirabal, quien con la mano planísima improvisaba desde un carruaje. Daniel Beltrán asistía al nacimiento de un príncipe sucesor. El líder que organizaría el rumbo de la mediaisla para el nuevo milenio.

≈

En su día libre, Luzmar Soneira Egüez llega caminando hasta el Malecón a pasar el arrebato, uso y costumbre que cogió con el pintor José Cestero, distinguible por sus Sanchos azules y el sempiterno mameluco Levi's. «Yo soy un pintor *Blue Collar*», aclaraba. Se sabía todas las canciones de Bob Dylan y el poema *Dinosauria We* de corazón.

Allí recibe la mujer esos amaneceres, dejándose pendenciar por el viejo anaranjado que finge mirar, abarcando, el sol en su horizontalidad. Luzmar es la hija de Jossie Esteban, un merenguero dominicano que viajó tanto de Puerto Rico a Santo Domingo que la familia terminó confundiendo los lugares; así entre los trastornos de sazón y desfase quedaron en una suerte de limbo antillano. La adolescencia la encontró sin verdaderos amigos porque en la República su acento era un relajo y en Borinquen por ser dominicana no podía formar parte de ciertos círculos. Se vio sola por las tardes agotando las librerías de viejo de la Zona Colonial o Río Piedras, comió maíz hervido en las esquinas de Ciudad Nueva y se emborrachó de Chichaíto en barras de Santurce. Una tarde, saliendo de una obra de títeres, tropezó con el espíritu de Cestero que andaba vendiendo el retrato de un muchacho que se parecía a Karl Malden. Transaron un precio, bajaron al Malecón y con el dinero que les sobró compraron ron y cigarrillos. Cestero tenía un tiro y prendieron. Esa noche Luzmar dejó de ser virgen. Con el tiempo se dio cuenta que para el pintor ella siempre sería una engreída y fea samaritana. Para él la única mujer que valía la pena en el mundo era Cher. Pero seguían viéndose algunas mañanas; conversar con él, cuando se podía, era un éxito porque el viejo era un peso pesado. Esta mañana llega como siempre, grita «Hola» y Cestero responde con el gesto mínimo, estando sin estar, preguntando por dónde es que se está jodiendo todo. Si al final importa.

Y regresa al apartamento con una sola hambre. Se recrimina haber bajado al Malecón. No por el viejo sino por el mar. Jonás era el tercer hombre que ella se había tirado en su vida. Decía gustar de lo voluptuoso aunque la promiscuidad dejaba un vacío peor que el de la masturbatoria. Piensa en el doctor y muerde el nombre: ...Marthan. Le entra una corriente teriquito que frena todo funcionamiento. Duda. Siente al hombre flotarle alrededor con la calma que se le queda al cuerpo cuando regresa de la playa.

Un tibio vaivén.

≋

El segundo hombre fue V. A diferencia de la boda, que aunque escueta en público fue reseñada por todo medio social, el divorcio de Helvia Castillo no pasó de ser un cambio de estatus en su *Facebook*. Todavía no abrían todos los regalos cuando el hombre empezó a dormir en el mueble. Dos meses después se separaban.

Bronceados, de luna de miel, la pareja dio con Luzmar en una barra de la ciudad. Forzaron las buenas costumbres durante el encuentro, lo cual no dio resultado porque antes de la medianoche Helvia dejaba saber que se retiraba. Acordaron que V. podía quedarse. La colombiana estaba cometiendo un error. Si algo tienen las boricuas es la bravura rizada en el pelo; a las dominicanas lo maldito se les declara en el caminar y Luzmar tiene lo mejor de ambas razas. Esa noche V. no tuvo que convencerla de nada. El encuentro con Helvia la insufló con tirria y arrechamiento. En el motel V. se cohibió a tiempo de hacer lo que el resto de los hombres; no dijo palabra sobre el error que significaba ese matrimonio y que todas las mañanas era un preguntarse en qué lío estaba metido. Lo hicieron dos veces y salieron del motel antes de las cuatro horas. Juraron verse de nuevo. Luzmar quedó convencida de formar parte de algo que se resquebrajaba.

No tiene sentido negociar con el mecánico. Rojo pregunta al policía si se quiere ganar mil pesos.

—Yo no sé. Hable con el comandante.

El teniente reparte un par de papeles de a quinientos y resuelve. Baja de inmediato con el policía por la Avenida España. Toman la calle Real y en la esquina con Olegario Vargas, Rojo recibe la llamada de Sang Yang. Paran en un colmado.

—Dígamelo chino.

—Mire Rojo, Tiradentes quiere conseguirlo.

El teniente paga por cigarrillos al detalle y sopla dentro de una taza. Dice que no es extraño que el viejo quiera verlo; traga caliente. Sin que se lo pidan Sang Yang dice que mentirá al capitán diciendo que no lo encuentra todavía, que ha dejado un mensaje. Rojo responde, «Ah bueno. Gracias entonces...», queriendo cortar pero el guardiamarina prosigue. «La conexión de Tiradentes y Beltrán es lo del caso de Paya. Beltrán tenía los archivos del senador».

Rojo sabe tanto de ese caso como el público general. La matanza de los colombianos en las Dunas de Baní se trata con hermetismo, desde el Estado hasta lo castrense. Los implicados en el tumbe narcotráfico son en su mayoría marinos académicos de alto rango. Rojo los conoce a todos. El haberse salvado de esas purgas en la Marina lo hace sospechoso. Aunque siempre ha querido regresar a la Naval reconoce que el traslado permanente al DNI llegó en el momento propicio. Es obvio que siendo Tiradentes marino, estuviese involucrado.

≋

En su ruta hacia donde Flavia, Lubrini se detiene a desayunar en el Palacio de la Esquizofrenia. Está buena la mañana para comenzarla ahí. Por una corazonada, pide cerveza en vez de café. Se enjuaga la boca con la bebida y eructa. La pareja española que hace comer mangú a una niña voltea la cara. Lubrini piensa en Beltrán desintegrándose. *Si yo hiciese las cosas como Beltrán quizás él estuviese continuando de alguna manera en mí. El que conoce el sosiego no lo olvida. Yo lo encontré en Beltrán. En su bigote fruncido y su determinación. En lo parco.*

≋

El policía encuentra sombra en donde aparcar. El ángulo permite la fachada del edificio. Rojo mira por el retrovisor. Jonás sube a grandes pasos las escaleras. El teniente decide darle unos momentos. Será más fácil descubrir la mentira, se le verá la costura porque la habrán concebido de forma apurada. Llama a Gideon pero sale el mensaje. Intenta con el sargento de guardia. El doctor no está en su despacho. El policía pregunta hasta más o menos qué hora van a estar haciendo diligencias y Rojo, de súbito exasperado, no le responde nada placentero. Sale de la patrulla. Da dos pasos y para de golpe. Recostado, prende varios cigarrillos mirando hacia el río y los trozos de muralla al otro lado.

Daniel Beltrán llega a la parada del Farolito ya desecho. Sube por el puente peatonal y desde ahí mira el barrio detenido en gas podrido, una cúpula de mierda y cemento. Anonadado, sortea pilas de basura y zanjas. Cuando intenta decir «Buenos días» en la galería de los abuelos, cae en cuenta del error. Hay puertas que quedan abiertas y no hay porqué cerrarlas.

La vieja está de camino para la clínica, don Silvio tiene cáncer. «Dónde», pregunta Daniel. La mujer responde «...en el colon» y se parte en impulsos epilépticos. Beltrán no se mueve. Recompuesta, la mujer habla del niño. No se porta bien en la escuela. Saca buenas notas pero pelea de manera constante; al último compañerito lo partió de puntos. También es mentiroso. Los sábados lo mandan a liga y se escapa del play, pasa el día en plazas; es de su gusto comprar todos los periódicos por las revistas de arte, los muñequitos y los crucigramas. Luego se ensucia el uniforme y regresa diciendo que lleva un average de bateo de tanto y cuenta historias de los juegos de pelota. Las cuenta tan bien que da gusto oírlo. Por eso al final el abuelo no lo castiga nunca.

Doña Ana dice tener que irse y Beltrán entiende que en soledad bregaría mejor con su crisis. Pero desde que la mujer coge calle un nublazón lo arropa. Es Navidad y el calor ni se entera; pareciese agosto. Daniel anula las intenciones de planear el encuentro, quiere que el niño lo encuentre espontáneo.

Pero cómo... en esa casa enamoró a su mujer; la extrañó como nunca, como nunca se dejó arrasar por su olor, su abrazo masa pan caliente. Ella se fue y él pudo extender los brazos y abarcar ese vacío, ese hueco de cosa presente. Pasan dos horas. Cuando encuentra al fin un resquicio de esperanza para sus asuntos con Napoleón Mirabal, llega el niño.

En vez de correr hasta el hombre se deja atraer. Preso del abrazo, devuelve el apriete buscando sentirse menos incómodo. Las cosas dejan de tener peso. Gran compasión inspira el padre, quien quiere hablar por entre una lágrima pero las palabras no encuentran como organizarse en el cielo de su boca; el gran bigote fruncido. Así lo recordaría Marthan por el resto del tiempo.

Jonasito busca señales reveladoras del milagro pero el equipaje se reduce a un bulto de lona azul gastado. Quince minutos más tarde el niño se entera de la tragedia. Deja atrás las vergüenzas e inquiere. El padre argumenta no saber lo que es un Nintendo.

De ahí en adelante Jonás se muestra tosco. Está decepcionado y no va a guardar las apariencias. Las desconsideraciones del hijo reviven sentimientos encontrados en Beltrán. Llega a la conclusión de que la falta de la mujer les ha herido algo; está también el trasiego funesto de los envíos de dinero y las tarjetas de llamadas. La relación entre ambos se torna violenta. En sus pesadillas el padre lo lleva a la Duarte para el Día de Reyes y lo pone a escoger todo lo que quiera de un departamento de juguetería y cuando llegan al área de los videojuegos ya los Nintendos se han acabado.

Fueron días ominosos. Para nada navideños.

El evento de vinculación al partido se demoró debido a la condición de salud del Profesor Bosch. En esos días Beltrán asistió a varias disertaciones de Mirabal. El elegido lo trató con maneras ensayadas. Daniel no encontró espacio para dar sus conferencias. La decepción se completó durante la ceremonia. Empezó tarde y varios de los compañeros estaban borrachos o resacados. Bosch no estaba en condiciones para hablar, se veía que hacía grandes esfuerzos; no lucía bien y para cuando decidieron llevarlo a una clínica, los juramentados leyeron a toda prisa las estrofas de un contrato y recibieron unos certificados. Durante la cena de celebración Daniel se enteró que Napoleón Mirabal tenía pensado reunirse con varios dirigentes del Partido Reformista de Balaguer; por entre las mesas buscó la cara del líder. Se puso de pie hasta salir al vestíbulo del centro de convenciones. Escupió varias veces. Caminó sin rumbo por más de tres horas. Decidió regresar a Nueva York y recogerse.

Inventa excusas. Evita ir al hospital a ver a don Silvio. Accede a llevar al niño a las tiendas para que escoja un regalo. El rato que pasan juntos es incómodo. Jonasito pregunta por el Nintendo con frenesí. Daniel tiene el dinero pero no quiere ceder y tajantemente deja claro que será imposible. En medio de la calle el niño juega la carta de la madre muerta; se saca que el accidente fue culpa del hombre. Grita «Asesino» con un chillido que llama la atención de los transeúntes. Beltrán primero lo coge por un brazo; lo levanta con un jalón de orejas hasta ponerlo a un lado de la acera. Se miran de frente. Descubriéndose.

El padre quiere preguntarle quién, cómo... Entre dientes el niño repite lo anterior y si al principio habló trémulo, esta vez las aseveraciones vienen con alevosía de pez empuñado. «Tú la mataste porque tú querías desgaritarte». Al reproche prosigue sin dilación una tabaná con la mano volteada. El niño tamborilea cayendo de cara al contén. Beltrán se arrodilla. Se empapan ambos de sangre. Camino al hospital, entre los silencios del niño Daniel sopesa la palabra contundencia.

≋

Gideon llega al apartamento con el cuerpo en llamas. Una ducha y después un sueño, eso es lo planeado; al abrir la puerta de la habitación el frescor lo convida a tirarse en la cama. En el teléfono parpadean las llamadas perdidas del teniente. El doctor presiona *Delete*, pone el aparato en vibrador y lo envuelve en una toalla temiendo el sobresalto que se queda en el cuerpo al despertar de golpe. Cierra los ojos por tres minutos contados. Se incorpora como resorte y corre el cortinaje. Duerme hora y media.

Con una mano en el rostro hace presión en los pómulos. La cabeza se le está rajando. Consigue el celular. Dos llamadas. El capitán dejó un mensaje interesado en el cuerpo de Beltrán, ¿cuál es el destino? Tiradentes fue específico: debía ser despachado al primero que lo procurase. Al final solicita la devolución de la llamada. La segunda llamada es del mismo Rojo. Anticipándose, instruye a Gideon para que no informe nada a Tiradentes; no todavía. «Ubiqué a la secretaria. El hijo del hombre también está aquí. Aguante cualquier diligencia con lo de Beltrán».

Se incorpora; tendrá que afeitarse. No es un hombre rutinario. La morgue lo hace consciente del fútil carácter de los planes. La vida es una lucha, un estrés en sí misma. ¿Para qué llenarse de proyectos si todo está en contra? En el plano alucinante la consecución de casos o cosas tendría algún peso; la realidad es que ser humano implica enfrentar una serie de rotaciones que entrecruzan cauces y destinos. Trastornada, la minoría confronta su poca injerencia, sus límites; conocen la felicidad y se descubren ante un gesto, un vocablo, una conjunción. Se dan cuenta de que pueden mellar el universo. Entonces se renace a esa posibilidad, brecha que es a la vez encanto y desolación.

≋

Jonás empuja la puerta entreabierta y encuentra a la mujer en el balcón. Irizarry hojea una revista; entre los dedos de la mano izquierda aprieta un cigarrillo recién prendido.

—Hola Flavia.

La chica deja la lectura a un lado y jala del cigarrillo poniéndose de pie. No da un paso. Jonás camina firme, repartiendo miradas sagaces al desorden de la pieza. Algo está pudriéndose en algún lugar que él se desvive por identificar. La alcanza; antes de que pueda respirar la mujer pone dos buches de humo en el aire. Se muestra sorprendida ante lo bien que se ve el hombre y lo remarca, cuestión de quitarle lo ominoso al encuentro. Marthan agradece pero no elabora.

—Entonces, ¿qué fue lo que se robaron?

Flavia señala hacia lo que debía ser un televisor. Aclara que era lo único de valor.

—Ya veo —respondió el doctor.

Ella lo invita a sentarse. Será inevitable salir de ese lugar sin estropearse el *seersucker*.

—No se preocupe Flavia. Como usted sabe yo tengo que seguirlo por ahí. Hacer diligencias, verme con gente...

La bata garabatea los senos ladeados, la panza irreparable, los brazos cuarteados y negros hacia los sobacos. Enciende otro cigarrillo. Jonás lamenta desconocer el momento en el que ella mató la colilla del anterior. Un golpe de brisa revuelve el hedor de la cocina o del baño.

—¿Ya almorzó el doctor? Tómese algo al menos.

Insiste en que tenían que hablar un poco. Jonás accede al café.

—Me imagino que ya pudo hablar con el teniente ese.

Marthan tiene miedo de que la fetidez se le pegue a la ropa. Da un paso, acercándose al balcón; se llena de aire. Niega cualquier comunicación con el otro hombre. En verdad bregar con Rojo empeora el ánimo. Flavia regresa con un plato hondo, trozos de viandas y huesos que flotan en un caldo gris; una taza con café recalentado y un pocillo con azúcar blanca, otro con cremora, todo en una bandeja de plástico verde. Jonás se resigna, tendrá que sentarse, el café no puede tomarse nunca de pie. La mujer pregunta porqué y él justifica, «Porque se te barajan los planes».

Según Marthan no hay motivos para que no se proceda con la funeraria esa misma tarde. Explica su plan para con el muerto. Saldrá del país mañana mismo. La señorita Irizarry hace sonidos soplando y sorbiendo sopa; no admite sorpresa ante los planes del hijo con el cuerpo de Beltrán. El doctor prueba el café; aprieta el gesto de la cara para que la mujer no adivine la repulsa. Sin que le pregunten ella comparte su proyecto de viaje. Primero Puerto Rico, luego San Francisco, para fin de año. Le gustaría quedarse a vivir, tiene un amigo que es *Street performer* por allá. Dar un giro, un cambio a su vida. A ella siempre le gustó la actuación. De la niñez borincana recuerda que estuvo en un grupo típico llamado *La tripleta cristalina* en donde junto a sus hermanas viajaba toda la isla cantando tradicionales. Ella tocaba panderos y maracas y la vida era otra cosa. Esto, y miró a su alrededor, el televisor ausente, la casa mugrienta, afuera el sol quemando... ya nada le sabe a nada. Uno crece y todo se vuelve deuda y tardanza.

Jonás no cede a la provocación y cambia el tema hacia Lubrini. De repente Flavia es otra. Lubrini tiene la facultad de hacer eso en las personas.

—Verse con Lubrini es perder. Una vez durmió en mi apartamento de Puerto Rico, me llamó desde el aeropuerto. En los tres días que se quedó me acabó con la nevera, también se llevó todas las películas de Almodóvar y un libro de Cassirer, dizque supuestamente prestado. Usted sabrá. Hay dos tipos de pendejos: el que presta un libro y el que lo devuelve.

〜

El doctor reacciona como quien escucha una cifra. Reír sería delatarse. Guarda cuanto puede su pensar sobre Lubrini. Es una persona insoportable y narcisista. Redundancia. Tuvo desavenencias con todo editor que le publicó algo. Cuando ya ni aceptaban sus manuscritos se entregó a fotocopiar panfletos y narraciones que dejaba en casa de los amigos a cambio de las cosas que se robaba.

≋

La juventud les hizo pensar que el daño era irreparable. El padre no tomó el golpe a la ligera. Sacó conclusiones desde su propia infancia, desde su hijo. Para Daniel el misterio de la niñez radicaba en su plurivalencia de sensaciones. La voz de una niña puede alegrar mañanas; la sonrisa de un niño puede escandalizar la rutina, es más, llega a aflojar los yugos. A la misma vez no hay nada más atemorizante que su franqueza. Ser consciente de que la infancia no miente llena de pavor a los adultos, quienes intentan explicarse el origen de esta ley natural atribuyendo la llaneza al aspecto inmaculado del corazón niño. Nada más falso. La niñez agota sus pasiones, cuando quiere u odia lo hace de verdad y al verbalizar utiliza vocablos básicos, lacerantes por lo elemental.

El malestar en Beltrán era acrecentado por la nobleza de Jonás. Cuando la abuela lo encontró con la frentecita suturada se deshizo en nervios y lo abrazó; las palabras salieron preguntando hacia el padre pero Daniel no pudo responder. Iba a decir la verdad, nunca conoció otra manera. Pero hechas ya las frases, se le craquearon. La mujer inquiría con gestos atenuados y el hombre ahí, grave. Hubo respiración tartamuda, nada más. El niño se cogió la demanda, dijo haberse tropezado. «Cómo», preguntó la mujer, alejándoselo del cuerpo para verlo mejor; lo sostenía con un brazo extendido, con la otra

mano le levantaba la barbilla como poniéndolo a contra-
luz para estudiarle bien el golpe. Daniel, quien no se
atrevía a mirarlo, por fin habló.

—Le tuvieron que dar siete puntos.

Ella torció la cara como si le hubiesen dado un ramplimazo. Ahí supo él que la mujer tenía los ojos llenos de lágrimas; no estaba llorando, porque el llanto es una cosa del cuerpo entero y los movimientos de la señora estaban totalmente distanciados de la solución que exuberante desbarataba el rimel. Mirando de nuevo al niño, trayéndolo hacia sí, volvió a exigirle una razón, una forma. El niño se llevó el dorso de la mano a un ojo, explicó que estaba mirando machetes y ametralladoras a un lado de la calle, y se distrajo. Luego despertó en la clínica.

Ana se puso al fin de pie. Eufórica fue hasta la cocina. Jonasito tenía ya ropa limpia pero Beltrán no se cambió la camisa manchada de sangre. Sin preguntar si alguien tenía hambre la señora empezó a voltear los calderos y organizó sazones, desde allá quiso saber si la herida dolía, qué le habían recetado. Ofreció café al hombre que clavado en el piso observaba al fin a su hijo. No era una mirada lo que devolvía Jonás, en realidad medía la calidad del desprecio agrandando entre ambos. Una isla dividida en dos países. Retaliaciones. Para Beltrán estuvo claro que el mentir de Jonás tenía poco que ver con la simpatía. Era su manera de conseguir cartas, de apostar a sí mismo. Llegó el café y con este, el ofrecimiento de un baño y una muda de ropa. Cuando hablaron de vestiduras Jonás buscó con interés el equipaje del hombre, que en vez de la rabia inicial, ahora inspiraba patetismo. Daniel recordó la asquerosa corbata; adentro también los libros. Se tomó el café y agarró la bolsa. Salió raudo y sin agradecer.

Comprando tiempo, Rojo se detiene en un colmado. Cigarrillos y cerveza. Prende allí mismo y se entretiene con las noticias en el televisor. La Primera Dama inaugura el centro de cómputos de una escuela. Al cortar la cinta de la entrada se les exige a los fotógrafos retratar el salón de la cintura para arriba ya que los aparatos no cuentan todavía con CPU. Una joven periodista, alterada ante lo fantástico, pregunta que cómo es posible. Alguien del Despacho Administrativo de Obras explica que este es un acto *inaugural* como su nombre lo indica, y que, aunque puede ser confundido con *apertura,* esta en realidad se llevaría a cabo dentro de poco. La mujer de la realeza se deja abrazar por hombres que piden ayuda. Ella contesta a todo que sí como si no fuese con ella, exagerando la sonrisa. Rojo piensa en los perros que mueven la cabeza al vaivén de la calle en el interior de los taxis. En la pantalla, un ayudante de la *Inauguradora* pone una niña torva frente a las cámaras para que atestigüe ser feliz, sentirse bendecida por la gracia y la buena fe de la otra. Rojo se dice algo que tiene que ver con las palabras en su contexto auténtico. Pide otra birra, dará un par de minutos más al doctor y a la mujer.

≋

La puerta, aunque abierta, llama dos veces sorprendiendo al doctor y a la mujer. En la anomalía, Jonás descubre una oportunidad y se incorpora, así será más fácil marcharse. Flavia arrastra los pasos hasta la entrada. Marthan vuelve la cara hacia el balcón, respira levantando un poco los hombros; exhala presionando hacia abajo, siempre de talones juntos y sembrados. La mujer dice «Ajá» en tono contundente aunque alejado del grito. Se cruza de brazos. Jonás quiere verle la expresión en la cara completa pero solo alcanza el perfil violento de Flavia que inaudita le brinca a quien está del otro lado.

Es Lubrini.

CUATRO

LOS GESTOS INÚTILES

You are my country
a stone is not what I am
Therefor I do not like to face the sky
Not do I die level with the ground
But I am a stranger, always a stranger.
Mahmoud Darwish.
PSALM 9.

El suicidio seguirá estando al alcance del hombre,
pero deberá convertirse en un acontecimiento
siniestro y raro, en un único suicidio como anta-
ño la guerra.
Elias Canetti
EL SUPLICIO DE LAS MOSCAS.

El bufete del doctor Napoleón Mirabal está localizado en un sector exclusivo al que no llega el transporte público. Hay una brisa de temporada que refresca. Daniel Beltrán va apretado en la misma corbata que le cediera el partido. El poliéster y la caminata confirman sus miedos y llega hasta el vestíbulo del edificio temblando de sudor. El negro detrás del escritorio decide que el hombre empapado debe esperar. Descaradamente aprovecha el desencaje del visitante para bromear con la persona al otro lado del teléfono. Doce minutos pasan, cuelga obviamente molesto; inquiere. Beltrán confía en la fuerza del aire acondicionado; quizás se seque. La realidad es que la sensación mentolada que le puebla espalda, sobacos y cojones, empeora todo. Duda antes de responder; gracias a lo celeste el cuerpo no lo abandona.

—Vengo a la suite del doctor Mirabal.

—Usted tiene una cita, ¿verdad?

El moreno lleva la camisa plasmada en el cuerpo. Daniel se concentra en imitaciones de Bidó, Gustav Klimt y Rodón, en la identificación con foto que cuelga de un pectoral tenso y cuadrado. Beltrán deja saber que sí, que lo esperan. Cree entender el juego del muchacho tras el mostrador, quien señala un asiento en la sala de espera fingiendo ordenar unos papeles. Puede llamar de inmediato a la recepcionista, confirmar la información y hacer al pobre diablo ascender pero no. Los pobres se comerán unos a otros. Es algo que Daniel tiene muy presente.

Veinte minutos. La voz del portero rompe la concentración del visitante. El acoso no cede; de forma imperante el mulato indica el ascensor y qué piso. El papel en donde Daniel lleva la dirección está desecho por la humedad. Las palabras ateridas. Quiere preguntar el número de suite pero no se atreve, no vaya a ser cosa que el tipo termine de arruinarlo. Decide aventurar. El juego de espejos dentro de la caja que sube devuelve la realidad: ha perdido. Tanta filosofía, tanto consejo a los amigos que lo veían como un crítico agudo, ducho, oportuno... Adoctrinó a otros hombres en cosas que podía repetir con un gusto inspirador pero Daniel Beltrán arriba ahora al punto vivo en donde el ser, de tanto darse contra el muro, lo derriba o se resigna a la limitación.

Gideon Ilsset recibe una llamada de Miralba.

Camina a cortos pasos por el apartamento sin poder bregar con el pálpito entre el pecho y las sienes. La mujer saluda yendo al grano. Tendrán que verse en un restaurante italiano frente a los jardines del Teatro Nacional. El doctor, luego de un silencio pequeño, confirma la dirección del lugar en la Avenida Máximo Gómez. Miralba continúa con ironías que el hombre no entiende, entretenido como está con la sangre que mana de la barbilla: el timbre del teléfono le distrajo la afeitada. La mujer finaliza el acuerdo proponiendo una hora. Es un juego de fuerzas y él no puede retraerse. Otro cuadro de papel sanitario se une al montón en el lavamanos; el tajo brotando. Miralba cierra la línea asegurando, «Tú sabrás. Allá nos vemos». Frente al espejo Gideon agota el repertorio de excusas. Para qué aplazar lo obvio fingiendo pudores. En todo caso, si decide no tirarse a la jeva será por él mismo, por algún sentido de integridad para con él. Filemón no importa. Los hombres deben ser medidos por sus propias varas y las andanzas nocturnas revelaron muy temprano las bajezas del amigo, su disposición a la mentira, sus infidelidades. Quizás ella, a estas alturas del torneo, plantea el encuentro como una venganza; el cobro de faltas o apuestas. Sin darle vueltas a la verdad, Miralba está poniendo un brazo para que se lo partan y Gideon Ilsset no tiene qué perder pero el ímpetu con el que salió del cuarto de baño se convierte en nervio de terremoto. No se decide ante el color de la camisa, demora innecesariamente buscando la billetera y el juego de llaves, un poco admitiendo el ansia adolescente. Sale al fin con calcetines impares. Lleva el cuerpo helado pero la frente ardiendo; no recuerda un dolor de cabeza tan estridente. Recoge el teléfono del lavamanos; otra llamada del teniente. El espejo de la sala devuelve la camisa blanca con una mancha de apagado escarlata a la altura del cuello; desde la herida se demarca un caminillo de sangre. Tendrá que cambiarse la camisa. Regresa hasta la cocina y mastica un tranquilizante y lo baja con un fondo de whisky. El sabor dulce oscuro de la mezcla brega a su favor; ese poquito de caos juega a contradecir el ánimo. Respira hondo, siete veces. El hombre no está hecho para decir que no. Maldita sea la madre del deseo. Va a comer con la mujer de quien para los efectos es su amigo. Quizás terminan la tarde en un motel. Otra vez mira el reloj, mira sin ver. Llega hasta el clóset y en vez de cambiarse la camisa cubre la mancha con una chaqueta verde ligero. Su justificación se fortalece: no alberga rencor, el móvil es un gusto primario de animal de monte. Le gusta ella, el cuerpo que esbozó mucho antes de las fotografías. El reloj por última vez: cuenta aún con tres cuartos de hora para llegar.

≈

La secretaria blanquísima y de gran pecho señala un asiento y brinda un café que Daniel agradece declinando al sentarse. El mueble de cuero lo ingiere lento, haciendo un ruido que empeora la sudadera. Hace otro ruido sacando el pañuelo curtido, mojado de tanto que pasó por la frente. Desde las fauces del asiento manda un par de miradas a la muchacha que relee y firma papeles. Beltrán quiere pensar en la inutilidad de los círculos. Terminar una cosa y empezar la otra. ¿Qué hace Daniel Beltrán en esa oficina?

Napoleón Mirabal aparece escoltando a un trío de políticos. Hombres afincados en los cuarenta, pantalones afilados, almidonadas las camisas; Daniel se detuvo en los cuellos rígidos. Yourcenar habla mucho de la grandeza de los hombres, la crisis en el deseo de ser dios, no necesariamente ser mejores. El trío se detiene justo al centro de los libreros: tomos encuadernados en verde, mordidos por letras doradas que rezan Tiburcio, Manuel Rueda, Girolamo, Tollinchi. Uno de los hombres muestra un perfil sacando un dedo para destacar la cuentística reunida de Juan Bosch, a quien un segundo hombre llamó *El Profesor,* resaltando un texto histérico-economista relacionado con la pequeña burguesía en el país. Mirabal sabe darle continuidad a la conversa; añade algo comedido aunque acertado sobre la Globalización y la Autopista de la Información, dando el pie exacto para que el tercer hombre desembarace el tono académico con un chiste que contempla la caducidad de las ideologías ante lo masivo del consumo. El grupo ensaya una carcajada mientras el de la chanza termina asegurando,

«Tanto joder para que nuestros hijos mañana se caguen en el comunismo».

Daniel Beltrán no existe. El mobiliario en la suite de Napoleón Mirabal está diseñado para anular la pobreza. En el demimundo, allá debajo de los cojines, Beltrán comparte con calderilla y pelusas. Puede escuchar cuando el tercer hombre invita a mirar a la joven secretaria. Concede un piropo inapropiado. Instintivamente, atacada por la atención, la muchacha sonríe cubriendo de manera innecesaria la altura del hueco que forman cuello y torso. Innecesaria porque en la oficina hace un frío tremendo y ella siempre lleva bufanda. A Napoleón el momento le parece irrecuperable y con un brazo semiextendido dice, «Bueno...», sugiriendo la salida a los tulpenes. Es el segundo de ellos quien toma la demanda y se encamina hacia la puerta. Las solapas de los hombres van prendidas de pequeños imperdibles con la faz de Joaquín Balaguer sostenida por el logo del Partido Reformista Social Cristiano: un gallo colorado cruzado de machetes.

〰

Flavia Irizarry sostiene la barbilla de Lubrini mientras con la otra mano intenta secarle la sangre de la frente. Quiere ver bien el tamaño de la herida.

—Mala mía, Lubrini, pero la culpa la tienes tú. A ti hay que darte por lo menos siete puntos ahí.

De repente un vahído. No es la sangre lo que provoca el mareo. Tanto Lubrini como el doctor culpan a la fetidez. Flavia no puede enterarse ya que vive allí; para los efectos es quizás ella lo que está pudriéndose. Jonás Marthan dice que siete puntos son una exageración. Como mucho tres.

—No voy para ningún sitio a coserme nada.

Lubrini constata la sangre con una mano; la otra entre boca y nariz. El doctor no aguanta más y regresa al balcón. Irizarry se excusa diciendo que va por otra camisa para seguir deteniendo la hemorragia. Del bolsillo del pantalón Lubrini consigue una changa y un encendedor.

La brisa está buena. Lubrini dice algo acerca de las navidades y la fiesta del Cañonazo que se celebra en el Malecón todos los años. Merece la pena pasarse las Pascuas en este país nada más por ese jangueo. La Navidad en Santo Domingo es tan buena que muchos puertorriqueños viajan a pasarla. Marthan escucha sin ver. No es mediodía aún. El sol matiza un día hermoso, imposible para un velorio. Imagina una niñez en la boca de Sans Souci, la pequeña playa del Club de Oficiales, la caza de cangrejos en el peñón del Faro. Los cocoteros, el olor de la grama y la sal. Lubrini prende. El olor del tabaco es fuerte. Un sabor verde cubre a Jonás; lo pone a salivar. Desde las habitaciones, como traída por la posibilidad de una cachada, Flavia aparece con una camiseta blanca, nueva, quizás lo único limpio que queda en el apartamento. Vuelven a ser camaradas por un momento. Jonás, moviendo únicamente la mano, coge la mecha que Lubrini pincha exagerando delicadezas. Flavia intenta seguirlo curando pero Lubrini la evita. Sin botar el humo y en medio de una tos, Marthan, quien no ha intercambiado palabras directas con Lubrini, inquiere al fin:

—¿Y tú qué haces aquí?

—¿Tú dices aquí en el apartamento de ésta o aquí en la República?

Marthan le da una cortada de ojos, pasa la chicharra a la Irizarry diciendo, «Mata tú eso. Todavía le queda». Lubrini arrebata la camiseta sostenida por la mujer; la abre a contrasol. Se sonríe un tanto al ver las siglas del Partido de la Revolución Dominicana; el simbólico brazo empuñando la candela. Jonás hace un comentario acerca de un partido español que encierra una flor en un puño. Hace comparaciones. Quizás es una imitación. «Tú sabes cómo somos los dominicanos». Lubrini dice que eso no toca su cuerpo ni cojones y tira la camiseta al piso. Tanto el doctor como Lubrini quieren saber qué hace esa camiseta en casa de Flavia. Ella, escupiendo una broza, fumándose los dedos, argumenta que las andaban regalando durante las elecciones. «Una locura en la calle. Yo me quedé con una caja».

La mujer pasa el tabaco a Lubrini asegurando que todavía queda una fumada. Lubrini pregunta al doctor para cuándo será lo del entierro. Marthan saca un poco de pecho y se incorpora. La fumada relajó los hombros trayendo el recuerdo de Luzmar.

—Estamos esperando por la policía. No están seguros de que Beltrán se haya matado.

—Tampoco quería yo creerlo, tú sabes. Se hace difícil admitir...

—No habrá entierro como tal, además.

Flavia lee la contracción en cara de Lubrini. Se retira a por una toalla (Lubrini sigue sangrando); añade que la idea del suicidio es extraña: Daniel Beltrán no habló nunca de eso en sus teorías, no más allá de la parábola. Este final no era coincidente con la tenacidad de sus cosas. Irizarry dedica un par de alabanzas a la figura del muerto; lagrimea un poco al perderse en la inmundicia del pasillo. Ofrece cosas para comer.

≋

El Volkswagen está abierto, las cuatro puertas; baúl y bonete. Los ladrones se llevaron hasta la batería del vehículo. El apartamento de Gideon queda en una zona buena de la ciudad pero esto no sorprende. Ahora hay que pensar, inevitablemente, no en el hijo de la gran puta que le rompió el vidrio anoche, sino en el azaroso del parqueador. *Su recibos*. Pide un taxi. La central da siete minutos. Llama al Palacio, informando al sargento de guardia, quien llamaría al destacamento del Mirador Sur. Por órdenes del doctor, tomarían huellas digitales de todo el asunto; algo inútil, aunque Gideon adelanta que si da con alguno de los maleantes va a joder más allá de lo posible. También saldrá a la caza del parqueador. Quizás en otro tiempo hubiese dejado todo pasar, vendía ese carro y se olvidaba. Ya no.

El taxi llega con retraso. Gideon mastica una dirección sin saludar y el tipo sale raudo, escupiendo cosas a la manija de un radio. La estática del aparato y el *beat* que sale de las bocinas se encargan de reanimar el dolor de cabeza. Ilsset ordena al chofer bajar el volumen, prender el aire, subir los vidrios. El hombre reacciona pero la verdad no escucha un carajo; casi se lleva una borracha recogiendo botellas. Van saliendo a la avenida; brigadas de la Alcaldía del Distrito completan pinos y decoraciones con *spray* de nieve. Gideon Ilsset repite de forma idéntica el mandato. La música cesa. Una mujer a volumen bajo pero notable, repite direcciones, confirma unidades y códigos diez cuatro por la radio.

Daniel sigue transido en una esquina, se evade mediante recuerdos gratos: un sábado en Boca Chica con la mujer muerta, comiendo pescado, excedidos de cerveza y tortas de maíz; la negrura en los ojos del niño; el cumpleaños cuatro, las muecas, sus buches amarillos, el ceño cejicerrado, espeso, igual al suyo.

La muchacha repite que puede pasar, que el doctor Mirabal lo recibe ahora. Se levanta alterado del asiento. El sudor cesa dejando aureolas de sobaco. Napoleón está en el teléfono detrás de un escritorio que es un diente de cristal cortado. Con la barbilla muestra un asiento a Daniel. El incitado duda. Mirabal reitera, ahora con una mano. Pero no es hasta que la llamada termina cuando Beltrán ejecuta; escueto, responde el saludo del otro hombre, que le pregunta si ha comido, si ya tomó café. El primer instinto es seguir el curso casual del tono pero Daniel resiste y directo, plantea sus opiniones sobre esta visita, sobre los funcionarios que acaba de ver. Napoleón responde con una sonrisa que escala a carcajada, al final de la misma deja muy claro que Beltrán no es quién para cuestionarle. Todavía no llegan a la violencia abierta; ambos saben que viene. El teléfono repica callando la boca de los hombres. Napoleón mira el aparato, luego a Beltrán, quien autoriza al más joven a tomar la llamada. Un timbre más. La voz de este lado ordena con amabilidad pero sin flaqueza que no pueden ser molestados. Un sí y luego un no. Mirabal cierra la conversación y se queda con el auricular en la mano. Negocia con Beltrán. «Lo mejor será salir, aquí no hay paz. ¿Tú dices que comiste? Yo no. Acompáñame». Esto último lo dice de pie, seguido a grandes zancas por un Daniel entregado, consciente de la resignación que suele acompañar al fracaso.

El taxi atraviesa un tráfico pesado. Gideon se ha quitado y puesto el reloj ya dos veces. Va tarde. Ruega al chofer que consiga atajos y este maniobra tomando la Lincoln, hace una derecha en la Avenida José Contreras e izquierda en Alma Máter, a este punto Gideon cuestiona la decisión; esta avenida cruza con una de gran circulación, la Bolívar; es además la del domicilio de Napoleón Mirabal, el presidente, y esto suele congestionarla de forma perenne. Suben hasta la Pedro Henríquez Ureña; ahí el tema de conversación (es inevitable que el taxista proponga uno) adquiere la forma de una deslumbrante torre de apartamentos levantada por un empresario español, ahora preso. Gideon no tiene pinta de turista pero el acento alemán no lo ayuda así que el taxista se ve en la obligación de ponerlo en claro sobre el asunto. Supuestamente el español estaba en el negocio de lavado de narcoefectivo. La torre, la más grande del país hasta el momento, fue pagada al *cash*. Esto levantó sospechas. Una comisionada de la agencia de seguridad del gobierno español viajó a República Dominicana con carácter de urgencia ya que el europeo tenía una serie de negocios bravos en Málaga y etcétera. Al hombre lo requería también la Interpol. Presidencia y varios funcionarios de las oficinas castrenses más importantes no encontraron donde meter cara cuando el escándalo salió a la luz ya que a gran cantidad de la cúpula se le habían cedido apartamentos y *penthouses* en la dichosa estructura. Gideon escucha la perorata sin proponer. Para cuando el vehículo llega a la Máximo Gómez Gideon advierte al chofer que no puede hacer izquierda en esa avenida y que él va para los frentes del Teatro. El taxista comete la infracción en la cara de trece policías que comen carne frita y orejas de cerdo con plátano majado frente al Consulado Americano.

Marthan y Lubrini renuncian a la oferta del almuerzo. Lubrini pregunta cosas sobre la vida de Jonás, pretendiendo ignorar lo que este dijo hace poco sobre el cuerpo del padre. El doctor sigue la corriente y habla de Barcelona, de la muchacha puertorriqueña que estudia Historia del Arte, Dora se llama. Habla brevemente sobre Luzmar y el encuentro de anoche. Lubrini se da cuenta que Jonás narra esas mujeres para saborearlas de nuevo. Silencio. Sin que le pregunten Lubrini habla de Helfeld y la posibilidad del amor.

—¿Amor? Lubrini, mide tus palabras.

Lubrini conjuga los términos sacrificio, sufrimiento y nostalgia. Cosas que engloba tal sentimiento.

—No sabes de lo que estás hablando.

Lubrini no encuentra forma de recoger la quijada. Exagera. Marthan se las ingenia para que lo próximo no suene a reproche, «Amar es estar. Y tú, Lubrini, vas y vienes a tu aire. Qué casualidad, siempre que hay amor envuelto es porque necesitas algo».

Flavia regresa; siente la tensión y se mantiene orbitando en la sala. Termina sentada frente al televisor ausente. En el balcón Lubrini quiere recusar la tesis de Jonás; el doctor corta y remata, «No te conformas y encima de eso dejas pérdida en donde se te tiende la mano. ¿Amor? Puede que sí, pero siempre del lado opuesto al tuyo. Tú no te quieres ni a ti».

≋

Gideon Ilsset da con la mujer en una mesa del fondo. Casi pregunta a un camarero pero con dos miradas la encuentra e ignora la prestancia en el muchacho de la bandeja. Miralba finge tomar de una copa; no devuelve el saludo. El doctor abunda con perdones por la tardanza, culpa al tráfico, bromea alrededor del taxista y su música. Se ve horrible, necesita un corte de pelo.

La mujer no celebra las gracias. Ilsset siente un cíclope acomodándosele encima. Termina rescatándolo el mesero al que le hizo el desaire al entrar.

Pasan del mediodía. Ya los ejecutivos almorzaron y regresan a las oficinas, al café de la supervivencia. La pareja paga la novatada del turno muerto: el mesero tartamudea al dar los especiales del día, Gideon repara de inmediato en su nerviosismo. Pide un whisky y una ensalada; tarde se da cuenta de la falta: ordenó antes que la dama, de poco caballero. Cierra el menú de golpe, ofrece disculpas y con la derecha semicerrada sugiere la sopa del día. Miralba no dice que sí ni que no. El doctor despacha al mesero que anota en la comanda como si la vida se le fuese en ello.

Ilsset no da cancha al silencio. Habla de la situación internacional, de la política, las navidades y las precariedades del país. Ambos extranjeros, están en una situación conveniente para la crítica. Entre respiros, Gideon constata que la mujer que le había anestesiado la calma (el pelo rizo de locura; la sonrisa desnivelada) no es para nada la presencia que frente a él juega a enredar los dedos, a girar un anillo de platino con una piedra obscena por tamaño y fulgor. El debutante regresa con una bandeja comentando que es su primera semana en un tono que lo supone merecedor del perdón. El doctor mete la nariz en el vaso de fondo pesado. La mujer ordena otra botella de agua mineral. Levantando el codo, Gideon se abstiene de volverla a cometer. «No vas a tomar, digo, además de agua... te espero y brindamos».

Durante el silencio correspondiente el hombre deja saber que no le va bien con las palabras. Aprendió este español a magullón, calle y herida. Quizás si pudiese hablarle en germano podría mostrarle lo atrevido, lo seguro de sí. Considera la posibilidad del inglés; ambos lo hablan aunque sobresale el hecho insalvable de que es una lengua intermediaria por la cual ella siente algún recelo; es puertorriqueña en el fondo. Tendrán que bregar en ese español.

Todavía en silencio ella zarandea un tanto la cabeza y con la mano reluciente concede el adelante; lo insta a proseguir. Para Gideon basta el primer trago para recuperar el tino; tino que ella arrebata cuando deja saber que no puede tomar alcohol porque está embarazada. Al final del pasillo el mesero tropieza provocando un estruendo de jarras congeladas, órdenes de salsa aparte y platos humeantes.

El asiento del Land Rover de Napoleón Mirabal mantiene en aplaque a Daniel Beltrán, quien recién acaba de comprobar la voracidad del cuero. Desde el guía el joven doctor altera el volumen. La canción es brasileña. Tararea. Algo de paz llega a Beltrán al comprobar que no irán a un restaurante caro ya que Napoleón atraviesa cierta frontera de la ciudad que abre a lo populoso. Por encima de la tonada Mirabal busca aflojar el trance. La gente nerviosa regularmente tiende a dos temas, el clima o los deportes. Siendo la República un trópico constante Napoleón tira la conversa para lo segundo, confesándose fanático de los Tigres del Licey. Afuera, chiringos de madera con olor a arenque y huacales de pollo matado para el horneo, guindaleras de uvas y manzanas opacas ante el brillo de un sol diciembre Caribe; amarillo verlo, sentirlo desde el interior del automóvil, consciente de que allá para el nativo el astro no broncea benévolo sino que ofende la sangre. Napoleón insiste, la temporada invernal apenas comienza; menciona los refuerzos que se acaban de unir a los equipos; predice, conjetura, plantea estadísticas. Beltrán, contrario a su voluntad, interrumpe:

—Yo soy Escogidista.

Napoleón miente y dice que no escuchó. Sube por la Avenida 27 de Febrero y hace izquierda en la Máximo Gómez, pasa la Kennedy. Beltrán aclara la garganta. El sudor regresa; tiene las manos aferradas al cinturón de seguridad. Se siente patético ante el resabio. El peso del error del viaje lo consume.

—De los Leones. Escogidista —repite Daniel.

—Mi más sentido pésame —chanza Mirabal y tose una sonrisa que se apaga rápido para retornar un tanto estruendosa. Daniel no se ríe; cuando pasan la San Martín inquiere por el destino. Napoleón apunta que no tome en falta el relajo contra el equipo. Deja saber que van a parar en un comedero detrás del cementerio.

Mirabal consigue aparcar la lustrosa nave frente a un colmado y una gomería. Maniobra, salta del vehículo. Daniel tarda; con el sudor ahora se manifiesta un hedor notable. Rechina la mordida ante el joven político de camisa blanquísima abrazado por señoras grasosas, calvas, desdentadas; hombres que alternan la desidia del desempleo en tragos de ron con soda caliente; estos hombres empujan una prole salpullida hasta Napoleón, quien es todo entendimiento y promesa. Daniel lo sigue con pasos reprimidos para no ceder ante el *momentum*. Es inevitable regresar al Adriano de Yourcenar, al peso cíclico y recurrente de todo lo humano, al frustrado optimismo. Pobres seres que fuerzan el continuar.

«Nada más de pensar prudente la vida se me sale del tiesto, las cosas empiezan a frustrárseme». Lubrini quiere dar su versión del amor pero al componer las frases se deja invadir por la inutilidad de las mismas. Lubrini ha leído acerca del amor, repasando graves volúmenes que logra salvar constantemente de la venta de pasillos que es su vida; una vida en donde cualquier cosa de valor corre peligro de terminar en la casa de empeño o ser malinterpretada. Para Jonás el amor es práctico; el único que conoce es el de los que se toman en serio la soledad. Ahí está esa muchacha, Luzmar, ella pudo haberle dicho que no al avance después de la humillación; o pudo haber salido con él para arruinarle y sin embargo terminó hundiéndolo en confusiones. El cuerpo de Luzmar estremecido de sudor, extendido en una sábana, el costillar de ébano, el peso, el tamaño de la mordida.

En el balcón del frente dos niños juegan a los espadachines. Lubrini retoma, «Acepto la crítica, Jonás, pero viniendo de ti es imposible aceptarla sin que se le encuentre a uno algún sentimiento, porque tú no eres lo que se dice un dechado». El doctor exaspera pero no lo admite. Tiene la conversación en su cancha. Esas fugas de la filosofía de Lubrini son las mismas que alguna vez usó Beltrán, fútiles por lo tanto. No va a ceder.

—Y como te dejé saber, no habrá entierro.

Uno de los chamaquitos coge al otro en el costillar, lo doblega como lombriz. Lubrini imagina el cuerpo de Beltrán tieso, abierto como un sapo en un promontorio de losa, observado con indiferencia por un aspirante a primer año de medicina que tocando la carne amoratada se pregunta si a esto es que va a dedicarse.

El cuerpo de Beltrán será cedido al departamento de Patología de la Universidad Autónoma.

De los niños, el que antes infringió es alcanzado en un ojo. La mano va a la frente junto con un chillido. Lubrini y Flavia preguntan, «¿Cómo se puede tratar un servicio así? ¿Ahora se dedican las funerarias a esto?». Jonás concede que el asunto no es común pero el hombre de la funeraria presentó la posibilidad. Añade, «Ahora considero que no me pareció ominoso en ningún momento. Quizás un poco... así, escuchándolo en voz alta pues cambia en verdad, pero no determina. El trance está hecho».

Lubrini se despacha un comentario de Bataille relativo a lo funerario, pero Flavia sabe más y le encuentra una mano, Irizarry ordena con la mirada, *Ni se te ocurra*. El niño adolorido deja la espada reposar; una mujer de pecho abundante sin sujetador abraza al herido y reprende al otro que gigante y arma en mano, apunta al que llora en el regazo de la mujer. Lubrini quiere excusarse, ir al baño; no se atreve. Quien termina por romper el triángulo es Jonás. Casi empujando a Flavia se hace camino hacia la sala, da media vuelta y dice a la mujer, «Flavia, deme una llamada o algo. ¿Oyó?». El doctor puede verla en el mediodía de diciembre atravesada por el hedor que regresa. Marthan decide que lo podrido viene de la cocina y le desea un buen viaje. Ella se hubiese quedado encantada pero no hay manera de cambiar ese vuelo, no está dispuesta a perder doscientos dólares. «Así es mejor, sin velorios ni entierros. Mirando a Beltrán y su retórica, esto cuadra».

En Jonás se instala la culpa. Están hablando de su padre. Del hombre que lo trajo al sentido precario de la palabra. Es el momento y lo admite, no es tristeza, está aborrecido, tener que estar ahí, aquí. Sigue buceando en una malaria que llega para instalarse. Flavia repite números de teléfono que el doctor no recordará; luego concluye preguntándole al hombre si tiene *Facebook*. Jonás la ignora; frente a la puerta da con la figura de Rojo Agramante cerrando un puño para tocar y decir *Buenas* o *Saludos*. Se miran y miden. El teniente desafía, el doctor se deja atrapar por el peso de la coincidencia.

≋

«Ya basta de elusiones». Daniel Beltrán habla con las manos bien abiertas sobre el mantel tostado que alguna vez fue transparente. Mirabal es tratado por las mujeres de la fonda como un dios pequeño. El adorado pide lo de de siempre y más cerveza. Señala a Beltrán preguntando, «¿Dos vasos?». Daniel viene de una racha de borracheras y estados contradictorios referentes al alcoholismo. Mientras Napoleón brinda, Daniel recurre a imágenes neoyorkinas: una barra a oscuras en donde a media mañana hombres con ojos hermosos de azul brotando rojo, queman cigarrillo tras otro en pretendido silencio, y la ginebra matutina ahí derritiendo hielo. Hombres con camisas curtidas en amarillo, hombres que narran en pasado.

Daniel empieza el interrogatorio, quiere saber qué hacen allí. Mirabal relaja la corbata con el dedo índice convertido en garfio por entre la manzana de la garganta, se da un trago de cerveza acomodándose en el espaldar y desde allá pregunta a Daniel si se refiere a ese lugar, al comedero, al barrio. El futuro presidente no se amilana ni da chance para que Daniel especifique. «Quiero que veas cómo es que se bate el cobre... Viste esos políticos en mi oficina, ves cómo me manejo, y sé que quieres que yo me justifique. Buscas y esperas algún tipo de redención pero no existe tal ya que el conflicto nunca se ha presentado».

Daniel quiere no entender la perorata. Una mujer se acerca llevando un plato amplio con fritura recién sacada del caldero, tostones de pana y batata, rodajas de limón, aguacate. En la otra mano trae un litro de cerveza congelado. Beltrán coge aire pero Napoleón hace una seña y lo detiene. La mujer reordena la superficie de la mesa, pasa un paño, alaba al venerable, quien sonríe; siempre gracias. La mujer se va dando pasos abiertos y rápidos, como si saltara, tocada por él. «Bienaventurados los pobres...», esto lo dice Napoleón brindando con Daniel, quien sube el vaso presto y sin dilatar argumenta, «No es que importe lo que diga, o sea, es obvio; pero si se toma en cuenta que por PLD, por partido, lo que se entiende es un sentido de diferencia, desde su liderato hasta sus propuestas. ¿Cómo hacer un trato con el Reformismo, Napoleón? Estoy aquí porque quiero que me lo expliques. Sin arrogancia, conmigo no te hace falta la retórica porque sabemos de dónde tú vienes». De inmediato Beltrán repara en lo dicho y siente el empuje del miedo. Regresa al vaso y lo termina de un trago. Napoleón sirve de la cerveza nueva, es bueno sirviendo porque no deja que se congele. Daniel, seguido, se da un trago; la espuma culmina en el bigote. Mirabal admite que puede explicarle, «Pero eso sería discutir por gusto; lo que estoy haciendo está avalado por un equipo político, Beltrán, esto no es a lo loco. A lo loco sería pretender el regreso a los días románticos que llevas tan adentro sin querer admitir que así alimentas ese espíritu de seudoasceta; esas aspiraciones pendejas, no por la intención sino por lo práctico. Siempre vamos a empezar y a terminar aquí Beltrán. Esas son las más arduas procesiones, la que llevas tú, las que se llevan por dentro». El plato de viandas, embutidos y carne salada sigue intacto frente a ellos. Daniel bebe más rápido de lo que debe; para Napoleón la táctica está funcionando, el vaso va a la boca con frecuencia pero usa el truco de los actores en pantalla, que nunca toman pero tragan. Con dos o tres cervezas más, debido al hambre o a un orgullo desesperado, Daniel buscará sustentar una tesis que no tiene por dónde en teoría y mucho menos en práctica. Napoleón Mirabal va a humillarlo sin medias tintas, «Beltrán, podrás haber leído mucho pero eso no sirve. Calle y papeleta, Beltrán. Tú me hablas de Bosch, Beltrán, te llenas la boca, sabes mucho de historia pero la historia, como todo mito, tiene un ingrediente fantástico y otro para nada épico... Tú prefieres lo romántico del mito y no hay quien te apee de ahí, pero creo en la parte sucia, mecánica, de ese mito: ese lado oscuro es en donde Bosch intenta hacer circular una tesis en donde el pueblo se gobierna y toma decisiones colectivas y ahora que se escucha así suena bonito; a cualquiera se le llenan los ojos, Beltrán, un mundo de hombres y mujeres abrazados, caminando a nivel, pero dime tú, tú qué sabes de historia, ¿eres consciente de que Bosch quiso imponer unos conceptos que apenas empezaban a dar resultados contradictorios en países civilizados a una camada de confusos? ¿Un rebaño que hasta el momento no había conocido otra cosa que la macana de un campesino ladrón que se hizo paso a sangre y cojones? ¿Y después Balaguer? ¡Balaguer!». Las mujeres detrás de la barra ignoran a los hombres y se dejan poner viejas a través de la resolana que dora suave. Hablan de fiestas patronales y calzados. De cuando en cuando y sin interrumpir la

conversa refrescan vasos y botellas de la mesa en donde
Napoleón Mirabal y el hombre apestoso discuten con
ademanes parcos, sin decidirse por ordenar comida como tal. La cara de Daniel se desfigura gracias a la mueca
que lo acompaña siempre y los tragos de más. Se junta
de manos, diez yemas apretadas buscando un tesón
inexistente. Napoleón remata, «.Y te digo más, no discu-
to las buenas intenciones de Juan Bosch. Quién soy yo.
No, no, muy por el contrario, Beltrán, Bosch estaba adelante en muchas cosas y siempre voy a ser el primero en
reconocerlo. La culpa la tuvo el pueblo, Beltrán, la tiene
y la tendrá. Es un pueblo acostumbrado a la limosna y
cuando las cosas se pongan peor de lo que ahora.». Daniel abre los ojos pretendiendo cinismo. Mirabal ruega
que lo deje terminar, «Oh sí, Beltrán, peor que ahora,
porque siempre hay oportunidad para caer más bajo,
no habrá para limosnas y ese pueblo al que tú quieres
defender, que viniste a enrostrarme, va a tirarse a la calle,
a matarse, a secuestrarse. Cada quien va a tener que resolver como pueda, Beltrán, y yo voy a resolver como
presidente. A mí me tocó y yo voy a bregar con mi destino. Tú, si quieres, tienes hasta ahora para decir si te
montas o no. Estoy dispuesto a trabajar contigo. Después de ahora no te garantizo nada. Yo no tengo porqué mamarme tu evangelismo».

Empalado, las manos juntas alrededor del vaso, Gideon
busca la mirada de la mujer que no hace esfuerzos en
evitarlo pero cede al abismo que diluye el negocio. Una
palabra cortada de manera abrupta por el doctor, la hace
observar en los dedos del hombre, finos, prensando el
vaso. Levanta la vista hasta los grises ojos, lo incita a hablar. Él no entrega. Piensa preguntarle si la criatura es de

Filemón pero eso es, más que necedad, una imprudencia. Ella se toma la demanda.

—El problema no es Filemón. Tú sabes que hay boda.

—Claro. Todo está calculado.

El doctor la ve masticar vacío, buscar agua para tomar o echársela en la cara. Gideon no tuvo por qué decir eso pero tampoco lo arregla. Ella va a contradecir cuando el mesero reaparece sin aviso cambiando la botella frente a Miralba. Deja saber al hombre que el pedido viene por ahí. Gideon dirige tres palabras a la mujer, la invita a proseguir, despachando al mesero con un gesto exasperado. Miralba se entretiene con los limones y las burbujas del agua nueva. Habla de los fantasmas de Ponce y el cuartito del abortero Liboy, al que ella regresa en noches de apagones cuando el calor no es el de las postales que los turistas alemanes compran frente a la Catedral sino amplio, pegajoso. «Despés de ahí creí que nada me quedaría fértil, y eso en vez de recogerme lo que hizo fue tirarme con más brío a la calle. Con Filemón no hubo cortejo. A él me lo tiré esa noche en Las Terrenas porque sí. El miércoles de la semana después quedamos para comer en Megacentro de la Churchill. Tuve un poco de miedo porque bajo el sol de ciudad es diferente. Si podía soportar verlo en medio del asfalto, a través de cualquier cantidad de hijos de cualquier cosa, entonces no estaríamos tan muertos». Para Gideon no interesa nada que involucre a Filemón, no en ese momento. No puede dejar a un lado la realidad de las fotos, los píxeles que estremecen al punto de tenerlo allí sentado, sudando en el bajo cero del restaurante, regresando a la normalidad del escándalo del mesero nuevo. Al final de la barra, dos trigueñas en lo mejor de la treintena burlan el hastío brillando cubiertos y formando, con prístinas servilletas, los servicios para el turno de la noche. Creen que chisteando alrededor de la rutina lograrán aminorarla. Pero no. El tiempo invertido se las atraganta, haciéndolas viejas e inconformes. El mesero pasa por delante con una bandeja más pequeña sostenida por ambas manos. Se muerde los labios ante la imposibilidad del balance. Llega hasta la mesa en donde el hombre y la mujer siguen tensos, sin esforzarse en parecer amigables. Gideon acaba el trago; pide más, antes que el muchacho, quien descansa la bandeja en otra mesa, termine de servir. «Sopa del día para la dama y ensalada para el señor». Ya mismo vuelve con el whisky, completa, deseándoles buen provecho, avergonzado porque lleva el mandil embarrado con el desastre de hace poco. Gideon la deja justificarse. Miralba habla de la soledad, no la que narran los ombligos del mundo sino la de hombres que ella ha visto regresar en autobuses del transporte público por las tardes, de mujeres que solo veían el sol a través de las rejas de la Zona Franca. «Tú sabes, otro tipo de soledad». Para ella Filemón significa escapar de ese gusano. Ella conoce personas que pueden bregar muy bien con ese flagelo; en un pasado Miralba tentó el músculo violento de la nostalgia; su viaje, esa mudanza a la República Dominicana, era prueba de ello pero bastó con salir de Aduanas para darse cuenta de que la había cometido.

—Pero yo siempre te conocí bien contenta, suelta... antes y después de meterte en serio con Filemón.

El doctor no mide lo despectivo. Él quiere saber sobre las fotos. No va a retirarse sin una razón. Ella no está para motivos y gira alrededor de ese pasado que, quiéralo él o no, lo involucra. El mesero regresa con el vaso de whisky en el centro de otra bandeja que podía manejar con destreza en una mano, coloca el trago frente al doc-

tor, quien siente repulsa ante el rastro de salsa tártara en
el chaleco del joven.

—Supongo que tienes todo dispuesto ya, Miralba. Lo
que no entiendo es cómo tú, que tienes tu soledad tan
resuelta, me citas aquí. O sea, ¿tú quieres que esto no se
vea como lo que es, como una provocación?

—¿Una provocación a qué, Gideon?

El doctor no puede creerlo. Procura no exagerar mientras una lanza se le introduce por la galera aponeurótica,
abriendo paso lentamente por la espina dorsal, separan-
do las vértebras, saliendo por el área coxígea y sujetán-
dolo a la tierra. Es eso o la náusea. Se da el trago de una;
con el índice, la señala.

—No te hagas la pendeja, Miralba.

El llanto inmediato la envejece tres años. Entonces Gideon, de súbito iluminado, comprende que la mujer no
sabe nada de las fotos; ella desconoce la trama. Quizás si
Miralba se hubiese defendido a nivel verbal la sospecha
podría mantenerse con vida pero el gesto siempre será
más honesto. El golpe de lágrimas la desasiste, dejándola
vulnerable, complementando su estatus de víctima. Él
no quiere odiarla pero el daño está hecho: Gideon ya
conoce al fin el torso desnudo tan desdibujado en suce-
sivos insomnios; el cuerpo de Miralba colándose en el
café de las once o la hora del aperitivo; en las conversaciones con el amigo... Aquí, ahora ella, presentando el
vientre asqueroseado por la simiente del otro, hinchán-
dose y él, Gideon Ilsset, haciéndose daño, envejeciendo
al minuto. Miralba guía la mano del anillo hasta donde se
celebra la vida; con la mano limpia revolotea una cuchara
de postre dentro de la sopa. Hasta en eso se equivocó el
mesero. Todo decae más allá del estropicio.

—Quizás esta sea la apuesta. Tengo un hijo y la cosa se arregla. Él se arregla. Dicen que los hijos definen las relaciones.

Ella, que bregó con abortos en otra isla, reconoce la estupidez en sus palabras. Regresa en ráfaga a las tías arrasadas en la casona de Ponce. Gideon se hunde, «Dicen que uno no debe volverse al lugar donde fue feliz...». Es ya imposible determinar hacia dónde o cómo seguir. Recurre a un poeta del romanticismo alemán, a un mediodía de otoño. La música, prescindible hasta este instante, adquiere forma de un merengue sinfónico que grabara la orquesta del Mayimbe Fernando Villalona, una versión del Concierto de Aranjuez por Miles Davis con arreglos de Gil Evans. Miralba se lleva dos dedos a la sien izquierda; la otra mano se refugia ahora en el costillar, el antebrazo protegiendo el vientre. No tiene necesidad de mandar al doctor a la mierda, al menos no con palabras. Gideon celebra sus conclusiones: jamás se pronunciaría sobre las dichosas fotos. Si ella es la responsable y ahora quiere hacerse la loca bien. Si Filemón, motivado por historias que se repiten sin cesar en tradiciones orales, en las que un hombre tienta al mejor amigo para probar el peso de las relaciones, envió las fotos, entonces aceptaría la culpa y la pérdida. Gideon Ilsset asistirá a las fiestas de cumpleaños del infante; invitado a ser el padrino de la criatura, dirá que sí. Se mantendrá cerca, alimentando su odio, viendo al amigo emborracharse, perseguir muchachas, seducirlas con cínicas teorías. A ella la verá envejecer a la par de una capacidad para el cuerno. Mientras, guardará para él lo mejor de los veinte años de Miralba. Para su dulce condena, avivará ese tórax del gusto en estado puro. Testigo del deicidio, mantendrá quieta, aunque implacable, su venganza.

≋

Tarareando el tema que flota, el mesero se acerca para darles la cuenta, pedir disculpas de nuevo y sugerirles un pronto regreso. Al ver los platos revueltos aunque íntegros en contenido, ofrece traer envases para llevar. El doctor pone una tarjeta de crédito en la carpeta, siempre mirando a la mujer, hurgando. El joven, leyendo desde la Visa, pregunta al señor Ilsset, jugando un poco con el extraordinario apellido, si desea incluir la propina. El silencio basta. Ella se incorpora y Gideon no sabe detenerla. En el vaso restan dos tragos. Después del primero se lleva los dedos aguados a la cara. Con el último trago se entera que la cortadura en la barbilla vuelve a sangrar. Firma rápidamente el *voucher* y se va sin hacer caso a la servilleta que ofrece el mesero, quien ni por carambola sospecha que este será el primero de muchos turnos miserables.

≋

El doctor Jonás Marthan no da pie a la sorpresa. Evitando dejarse embargar dice al teniente, «Usted no puede estar aquí». Rojo Agramante se queda picdra. Lo que el doctor clasifica como un reto es en realidad un mareo: las cervezas y el sol de diciembre dos de la tarde se dejan sentir; la subida por las escaleras atontan pecho y cabeza y Agramante está bregando con ello.

Cuando retoma algo de equilibrio, articula, «Tengo que hablar con usted y también con la secretaria del muerto».

≋

Flavia y Lubrini se acercan a la sala buscando identificar la voz. Marthan forma con su brazo una barrera entre la puerta. Rojo da un paso. Eso basta para comprobar el hedor que termina alborotando el aparato digestivo. Se aferra como puede. Insiste en un segundo paso. Jonás se mantiene en sus trece y dispara:

—¿Qué tiene que ver la señorita Irizarry?

Lubrini descansa en un inesperado alivio al sentir que entre el aire de verdades y consecuencias su nombre no se menciona. Flavia, de un brinco, se coloca de lado al doctor, alargando la traba que impide la entrada al teniente. Rojo aguanta la náusea. Empieza a hablar pero eructa en dos ocasiones llevándose la mano tarde a la boca, implorando perdón. Es obvio que no lo quieren dejar entrar al departamento y él feliz, porque si esa hediondez le da de nuevo no podrá responder de sí. Se dirige a Flavia, «Usted me dijo mentiras. Usted quiso decir que no sabía nada, ni motivo o consecuencia de la muerte del hombre... y sin embargo hay una huella suya en uno de los casquillos». Flavia se mueve como péndulo. Marthan la mira y luego ordena al teniente repetirse; lo hace, no por curiosidad en cuanto al padre fallecido sino para estrenar esa nueva voz con la que se dirige a Rojo. Todo este tiempo guardó para sí la impresión que había causado en él Rojo Agramante. Reconoció, aunque mantuvo a raya, el miedo que provocaba este enfrentamiento. Sin embargo, al verle hecho mierda, con los ojos idos y la boca reseca, elige las palabras para componer frases despectivas. Esto se está terminando. El temblor, la anticipación y el ansia lo confirman. El teniente, no sin poco trabajo, aclara que los informes afirman que la mujer trasteó las balas. Luego se coloca frente a ella y asegura, «Ya no hay porqué taparse. Diga lo que hay. Usted y el doctor tenían algo». En medio de la sala Lubrini deja entrever sorpresa por la noticia. Todo empeora cuando Jonás toma las riendas en forma definitiva.

—Lo que usted dice no tiene sentido amigo. ¿Irizarry. con Beltrán? No. No hay por dónde.

Flavia mira al doctor un tanto obtusa. Aclara de inmediato que ella es grande y no tiene que esconderlo de nadie: gustaba de Beltrán, es más, estaba asfixiada de él. El teniente ve una luz tímida al otro lado del túnel pero es oropéndola; retrocede para bregar con el mal olor; luego, hacia la mujer, «¿Usted ve que habló mentira? ¿Por qué se puso a llorar en el Palacio durante el interrogatorio? ¿Por qué lo negó?». Flavia se planta, «Lloré pero de negarme nunca». Lubrini tiene que meter la cuchara y empuja un poco a Jonás para acercarse a la Flavia.

—¿Y ese asfixie suyo por Beltrán... digo, y perdone sabe... era, correspondido?

Silencio. Cruces de miradas. El teniente se fija al fin en la prestancia en el traje *seersucker* del doctor. Imagina épocas en donde los hombres paseaban por plazas municipales con sombreros Panamá. Lo ve alto, imponente desde los *spectators* de suede beige y cuero marrón hasta el nudo de la corbata tejida azul marino y la cabeza afeitada, mostrando un cuarto de brillo gracias a la claridad del sol que se mete por el balcón. El grupo espera la respuesta de Flavia quien, aunque podría reservarse el comentario, afirma que Beltrán nunca cedió a los pocos lances. Se sentó a esperar que en alguna de las esporádicas borracheras que se daba en el despacho, la llamara para darle algún tipo de dictado y que, ya en esas, mandaran la taquigrafía al carajo y se dispusieran a meter mano. «Pero nunca pasó nada. Daniel para mí era, de los pocos hombres que he conocido en mi vida, él siempre fue lo más correcto. Digo, claro está, mejorando lo presente.».

Nadie entiende a la mujer, quien rompe un silencio mínimo ofreciendo cosas de comer y aclarando que es obvio que las balas tuviesen sus huellas. Ella estaba al tanto de casi todos los asuntos de Beltrán. Una tarde él le pidió que le cargara la pistola y ella, que siempre ha sentido un no sé qué por todo lo arsenal, no supo decir que no. Jonás añade a esto que si el arma no tiene las huellas de la mujer la coartada es válida. Rojo Agramante tiene que admitir que el reporte no menciona rastro dactilar en el arma mortal. Jonás inquiere por las diligencias en la entrega de Beltrán. Esto insufla a Rojo, quien, siempre hacia la retaguardia, se dirige al doctor, «Hay también algunas incoherencias en el alegato suyo...». El mal olor llega ahora hasta el pasillo de forma tal que Agramante tiene que recostar una mano en la pared, colocando boca y nariz por entre los orificios que brinda el diseño de la estructura. Hay aire bueno y toma todo el que puede. Resuelve que no va a poder bregar ahí y en un centelleo elabora un plan.

—Mire señor Marthan...

—Doctor Marthan, teniente, *doctor*.

Lubrini, al ver a Agramante, piensa que en otras circunstancias al tipo se le hubiese podido meter mano. Un jabao de brazos fuertes, pecho cuadrado, de seguro piernas duras, aunque ahora va bien decaído, con un rastro de sudor frío entre el torso alto y los sobacos. El teniente saca de abajo.

—Okey, *doctor* Marthan, en cuanto a su padre, sugiero venga conmigo para el Palacio entonces.

—Vamos a terminar con esto. El único doliente legal soy yo. Por más teorías que se elaboren de ahora en adelante, no voy a poner cargos ni nada. Con lo único que quiero proceder es con el tramo final de este asunto. Tengo un vuelo que tomar mañana.

El teniente quiere sentarlo en la sala de interrogatorios. Tenerlo ahí aunque sea media hora. Él ya recuperado, con el estómago y los nervios en su sitio. Asediarlo con el asunto de las llamadas. ¿Por qué dijo que no hablaba con su padre hacía siglos si se llamaron hace poco?

—Acompáñeme al Palacio. Como le dije allá abajo está la patrulla. Viene conmigo y terminamos el asunto. Los reportes ya están hechos. Usted firma unos papeles y se procede.

Jonás respira victoria y desolación. Este es un juego que nadie gana. Beltrán ya no está pero la vida no termina con la muerte; la muerte también es una manera de vivir. El grupo se deja cundir de cuestiones: quizás los cojos esfuerzos, sus ciegos impulsos, las desabridas rutinas, son las formas en las que Daniel Beltrán sigue repitiéndose en un girar más cerca de los trompos que de los planetas.

No obstante el bravo cerveceo, Daniel Beltrán logra forzar la mano y doblega. Napoleón, concediendo, se da un par de tragos de cerveza salobre. Son las tres exactas. Un halo de diciembre se alarga a los pies de los hombres. Se cuelan además merengues de los ochenta en donde hombres y mujeres prometen arreglarse esta Navidad, cocinar, intoxicarse con la excusa. Mirabal hace señas pero las chicas del servicio, entretenidas con un teléfono, lo ignoran. Beltrán aprovecha.

—Tú sabes lo que es, Mirabal. O sea, transar con esa gente...

Napoleón sigue con una mano en el aire. Mira al oponente, luego a las mujeres.

—Mira, Beltrán, si quieres plantearlo de esa manera, yo te dije ya. No voy a suprimirte el *derecho*.

—Claro. Soy *miembro* del partido.

—Por lo tanto.

Mirabal acompaña con un gesto el siseo. Una de las mujeres revive; la que camina abierta y a saltos es la que se acerca.

—Qué desea ese *príncipe*.

Daniel se ve sin remedio y carcajea. Está ya un tanto picado por la bebida en ayunas. La risa se eleva a estruendo pero la mujer no se entera. Para ella él no se ha manifestado como un ser humano. El candidato pide hígado encebollado y más cerveza. Cuando ordena trago flagela los dedos en el aire. Es un gesto que le añade.

Si van a beber, van a beber.

Ya que la mujer no le pone caso a Daniel, es Mirabal quien termina proponiendo pollo fricasé, arroz moro, plátano maduro y ensalada. Siempre de frente al rival, con una arruga borracha que quiere relajarse, Beltrán ordena le pongan tres huevos fritos por encima al arroz. Napoleón también quiere. La mujer no entiende. Daniel se hace escuchar y dice, «A caballo». La mujer queda desequilibrada aunque sin sorpresa, acostumbrada como está a las extravagancias de los borrachones. Cuando termina la ceremonia de limpieza y canje botellero, Daniel prosigue, «Porque, ¿cuánto tiene Balaguer bregando, contando el tiempo trujillista? Y perdóname el exabrupto pero no te puedo venir a negar ahora que tengo un pálpito romántico, dices tú, fanático, mitológico, adolescente quizás, pues mira yo no puedo negarlo. No. Pero la *mecánica,* como le llamas tú, la *matemática,* no sé, no me cuadra». Hay una pausa. El sol se encarama hasta las paredes revelando el paso de múltiples manos y noches. Napoleón levanta su vaso, no espera a que Beltrán presente.

Beben. Con la garganta raspando, Beltrán continúa, «Balaguer, todos esos años con la brida en la mano... no sé; la realidad no le favorece». Mirabal aunque quiere no encuentra réplica; improvisa cualquier cosa relacionada con el tramo histórico de los hombres pero gaguea. Beltrán no desperdicia la pifia, «Entonces te ves con los conceptos de Bosch; con el partido de Juan Bosch», al pronunciar el nombre del prócer Daniel pausa cada sílaba, «y terminas rebajando las cosas a una transacción. Eso es lo que pretenden los Reformistas. Así han pervivido y así buscan perpetuarse. ¿Tú me estás diciendo que en el partido nadie te reprocha esa barrabasada?». Mirabal va del vaso a la boca y de la botella al vaso con premura, revelándose. Daniel busca el espaldar cruzándose de brazos. Tira la mirada hacia las mujeres, que con este nivel de trago empiezan a verse. Mirabal habla de planes y del futuro con propiedad. Está del lado articulador de la trampa, el lado beneficioso. Cuando Beltrán devuelve la atención comprueba que el contrincante dispone un mapa del Distrito Nacional sobre la mesa. Convencido, un joven Napoleón muestra proyectos, un gobierno diferente ¡para la gente! Pero Beltrán no puede reprimir la carcajada cuando Mirabal dibuja con los dedos el trayecto que seguirá *El Metro de Santo Domingo.*

Daniel se sorprende de cuerpo entero. Matiza la burla. Lleno de ternura dedica una mirada al dictador en ciernes. La respuesta de Mirabal es rabieta y pataleo. Las mujeres se acercan ágiles, balanceando bandejas de alimento. Beltrán le entra al servicio, todavía burlándose. El ofendido no puede más y de la nada, tardío e incoherente, sentencia, «¿Tú sabes lo que va a pasar, Beltrán?». Tiene que repetir la pregunta ante el hombre que se atraganta, demostrando que tiene varios días sin comer como la gente; el sazón está dando donde es. Mirabal no encuentra la manera de redoblar el mapa; ahí añade, «Vas a regresar a Nueva York. Mejor dicho, vas a *huir*, confiado en el proyecto de retiro en *tu* país como tanto dominicano ausente. Luego de maltratarte los años mejores, de desperdiciarlos, vas a comprar ese pasaje de retirada para darte de frente con la realidad, terrible por lo anunciada. Dando asco vas a venir a Dominicana y el orgullo, el tuyo, nos mantendrá alejados. Y cuando se te agoten las opciones terminarás aceptando un puesto». Daniel identifica el peso de la certeza en las palabras del joven Mirabal; las fuerzas van decayendo, la carcajada se convierte en estertor, la mandíbula procesa sin piedad las paladas de arroz con grasa. Napoleón Mirabal busca y encuentra; ataca donde duele, «Tardarás en darme el sí, y cuando veas cómo se van cerrando las puertas, vendrás a pedir audiencia al Palacio, entonces vas a saborear el otro lado de las cosas, cada mañana, cuando pidas el café de las once en tu despacho... querrás convencerte de que lo haces para prestar un servicio a la *patria* y muy por adentro la vergüenza va a carcomerte, y de a poco, que es siempre peor. Napoleón hace una pausa casi imperceptible para rematar imitando un *spaghetti western*: *Mark my words*. Ya Beltrán no ríe. Con largos tragos de cerveza baja camadas de pollo en su salsa. Mirabal se retira, siempre tuvo ganado el pulseo; ya nada ahí le incumbe. Con dos dedos de uñas muy cuidadas mueve el plato que no probó. Con la otra mano consigue la billetera; intenta sacar unos papeles. Daniel impide, «Guarda tu dinero, Napoleón». Mirabal acata sin dilaciones. Se pone de pie. No volverán a verse como tal.

Sin alargar el trance, Flavia muestra la salida a Rojo desde un brazo fofo. Lubrini empuja definitivamente a Marthan, ayudándolo a decidirse. El teniente va mal, con el estómago cruzado de gases, sofocado de agruras; con esfuerzo se vira de talones. Al segundo paso tiene que asistirse en la pared. Flavia baja adelante, lento. Lubrini y el doctor cortejan al hombre sin que se dé cuenta, si cae por esos escalones se mata.

Abajo al fin, sabe que va a salvarse. Es un buzo en tierra; recupera el paso cuando ve a Sang Yang al lado de la patrulla. La seriedad del chino confirma lo que su presencia presagia. Marthan se toma la demanda y reparte los vehículos. Flavia y Lubrini viajarían con el chino y el patrullero. Rojo y el doctor en la yipeta.

≈

Lo que Gideon no admite es la audacia de la mujer; llegar hasta aquello. Encuentra vigor y regresa del estacionamiento sin sentir el mínimo remordimiento por haber salido con las llaves del Volkswagen en la mano para darse cuenta que anda a pie. El muchacho del embarre, quejándose de la propina, se sorprende al verlo regresar y pedir un taxi. No es recomendable ese otro trago mientras espera por el vehículo. Pide café. Al rato un guardián entra anunciando la llegada del taxista. El doctor tiene tiempo para fantasear, quizás se trataba del mismo tipo que lo trajo pero no se da la coincidencia.

Aunque son apenas las cuatro de la tarde ordena al chofer del minibús que le dé para la Zona Colonial. Allí giran por la cuadra del parqueador. No se cruzan con el tipo. El doctor decide coger para la oficina pero recuerda que no ha comido. Pasa por Barra Payán. Esperando un batido de zapote se somete a una idea que no vive lo suficiente para emocionar. Ir a la oficina y enviar las fotos a media capital no es elegante.

Recibe el vaso de *foam* con la bebida desde las manos de una camarera que hace un guiño detrás del mostrador. Quizás le pide el teléfono para invitarla a salir. Ella regresa con la cuenta y él, aunque encuentra el impulso, no se le tira. Más como doctor que como alemán comprende que debe encontrar sus límites y obedecerlos.

Lubrini comprueba que el mal olor proviene de Flavia.

Lo que el policía llama patrulla es un Nissan Sentra; el vehículo, aunque bien cuidado, carece de aire acondicionado y el sol Caribe diciembre fustiga. La conversación entre Sang Yang y el policía pertenece a un código imposible para los civiles.

Para colmo el vidrio del lado de Lubrini no cede. Flavia, sin enterarse de nada, pregunta por el estado de las cosas de Miky. Lubrini cancela el tema con una mentira mínima y aprovecha para sacarse una espina que lleva desde la conversa en el apartamento.

—¿Por qué me callaste la boca cuando iba a decir lo de Bataille?

Flavia se pasa la mano por frente y sobacos en un esfuerzo inútil por bregar con el sudor; pregunta a los militares si puede fumar; el policía dice que no importa pero humo y cenizas debía tirarlos fuera. Sin mirar a Lubrini, Irizarry ilustra, «La teoría es válida y sé por dónde tú venías... o es que acaso tú te piensas que nadie más leyó a Bataille». Pausa para encender el cigarrillo y dedica una mirada a Lubrini, quien recibe la primera bocanada de humo sin molestia. Cuando el policía va a interrumpir con reprimendas, Sang Yang saca los suyos desde el bolsillo de la camisa impecable. Flavia ofrece fuego. El chino acepta y sin decir gracias regresa a su mundo de corrupción, ascensos, apellidos y conexiones. Lubrini aprovecha esos minutos para elaborar dos teorías y rebatir pero Flavia le mata el impulso en el nido, «Acuérdate que fui yo quien te prestó los ensayos de Bataille». Lubrini insiste en que la muerte tiene que ver con lo estremecido, «Por eso hay que enterrar a la gente. Es imposible negarles esa última caricia. No hay silencio más íntimo». Flavia hace una mueca y admite que la imagen de la tierra halagando el cuerpo mientras lo que resta es pudrición y olvido, encuentra donde afincarse, y añade, «si la vida se complace en el tira y jala, entre viaje, contradicción y coincidencia, la muerte no es su contrario: es certeza y complemento. La culminación verdadera. Única. Quizás para él no fue suficiente preparar una vida. También le puso punto. No estoy de acuerdo con él pero este final viene a ser otra de las formas simbólicas de Daniel Beltrán. La diferencia es que él no está para defender su tesis. O la defiende desde ese mutis. Callar es quizás lo correcto».

≈

Jonás Marthan se detiene en la intersección México-Duarte. La cola de una marcha haitiana en protesta por la ola de crímenes de odio corre desorganizada ante amenazas lacrimógenas. El aire acondicionado ayuda a Rojo Agramante; empieza a reordenarse. Los gases y el sudor cesan. Quiere tomarse una soda amarga y lavarse la cara. Un celular llama. Marthan, con un torpe juego de manos, consigue el aparato; dice aló. Es el hombre de la funeraria; está en el Palacio. Jonás asegura que llegarán en cosa de minutos. El teniente lo duda, «De seguro hay otra protesta frente al Palacio de la Presidencia. Al hombre le hacen siete piquetes diarios». El doctor no agrega ni saca; Rojo no pretende regresar al silencio; aprovecha la llamada para preguntar por los planes del entierro. Marthan contesta con una pregunta:

—¿De qué es que usted quiere hablar conmigo?

—Bueno, usted habló con su papá hace un par de días... sin embargo lo negó. Empezando por ahí.

Marthan justifica:

—Creí que no era necesario.

—Pues ya lo ve que lo es. ¿Por qué iba a matarse Daniel Beltrán?

—No tendría sentido decirme algo así. No era su estilo. Pero como usted ve Beltrán era muchas cosas pero sobre todo un exagerado.

≈

El sargento del día pone a Gideon al tanto. Tiradentes está desde temprano en el despacho del coronel Rossana. Nadie ha preguntado por él. Al doctor el dato le alivia. Tendrá tiempo para lavarse y cambiar la camisa.

Se acerca al escritorio e ignora la computadora. De una gaveta consigue un cepillo, crema dental, un jabón Heno de Pravia; saca la botella de whisky y la desecha con un breve juramento. Deja el agua correr en el lavamanos; termina duchándose minutos que simulan extensos. Lento, se sienta en la asquerosidad de la bañera. La cabeza colgando. A empezar de cero. A organizarse. Camisa azul, corbata negra. Repasa las manos por el pelo mojado; evitándose en el espejo consigue el teléfono, pide con el coronel Rossana, quien le ordena subir.

≋

Rojo Agramante admite que a pesar de la investigación, su conocimiento sobre las cosas de Beltrán es escaso. El hijo del muerto no da luces. Rojo lanza indirectas basado en lo que comenta la calle: la sospecha de que Daniel Beltrán supo con nombres y apellidos la identidad del alto mando responsable de la masacre de los colombianos en las Dunas de Paya; que Beltrán tuvo esos documentos. El teniente quiere desarmar otra coartada pero la realidad es opaca. Todo apunta al suicidio, y si al hijo no le importa.

≋

Resta aún la tercera huella que no llegarán a identificar.

Obedeciendo los pronósticos, varias pancartas se agitan frente al Palacio de la Presidencia. No son suficientes como para crear entaponamiento. El doctor puede al fin acelerar toda la México hasta llegar al Palacio de la Policía. Rojo ordena hacer una derecha por la entrada de oficiales. Agramante se identifica ante un cabo dejando saber que atrás viene una patrulla. Marthan pregunta si esperarán a los demás en el estacionamiento, el teniente responde que sí y saca cigarrillos. Prende sin brindar. Jonás, sin que le pregunten, habla de su padre.

≋

El error fue regresar de Nueva York, volver al trasunto político. Al Jonás terminar el bachillerato le salieron los papeles. El abuelo Silvio había desaparecido debido al cáncer y doña Ana murió justo semanas después de despedirlo en el aeropuerto. Beltrán consiguió hacerse abogado, manejaba una oficina de asuntos migratorios y notaría en Corona Queens. Le iba bien. Para Jonás la precariedad neoyorkina era un pellizco de manco comparada con la escasez de la mediaisla. Estudió en un *College;* hizo y deshizo por las barras de Brooklyn. Beltrán intentaba apagar sentimientos de culpa satisfaciendo las aspiraciones exorbitantes de un Jonás Marthan que se tiró a la calle por el carril del medio. El hijo logró recibir el doctorado casi de milagro y esa misma tarde, frente a un café negro, Daniel le entregó su parte de la herencia. La suma era generosa y dejaba al padre en números rojos. Jonás revisó los bordes amarillos del certificado de depósito. Dudó ante las rayas en donde marcaría nombre completo en letras de molde y más abajo la firma. El bolígrafo falló y le ensució los dedos. Luego de firmar se llevó la mano a la frente cubriendo de azul las cicatrices de aquel golpe.

Ajeno, el papá compartía planes. Beltrán, quien había optado por el silencio como propuesta, siempre tuvo amenas conversaciones con el hijo aunque este no estuviera cerca o regresase borracho a las tantas de la noche. Gracias a Jonás, Daniel Beltrán era capaz de elaborar proyectos y pensar en un mañana. La concesión del capital no era la constancia del abandono sino la posibilidad de volver a *ser.* Según Beltrán, sin importar la edad o el tamaño de la culpa, un hombre podía encontrar facultades para reorganizar, replantearse un rumbo. No había mejor libertad que la de adentro.

La patrulla llega al fin. Ágil, Sang Yang se acerca a Rojo; debe ponerlo en claro antes de esa junta con Tiradentes. Lubrini desespera ante una Irizarry hedionda y parsimoniosa. El policía baja bostezando; intenta preguntar al teniente si lo va a necesitar pero el chino tiene al hombre acuartelado. El doctor evita a Flavia a la franca. Rojo escucha los detalles. Sang Yang asegura que puede salir sin problemas si se queda callado. Lo del traslado a la Marina va. Rojo saca un cigarrillo, prende y afirma con el humo que eso a él sin cojones lo tiene. Encuentra a Jonás, y lo invita a caminar. El doctor recuerda el agente funerario a la espera. Cerrando una conversación empezada hace días, concluye, «Y no va a haber velatorio ni entierro». En el último paso de las escalinatas Rojo Agramante se siente casi renovado; alto, buscando el tono superior que cree apropiado, observa a un contrariado Jonás Marthan y opina, «Fíjese... nadie sabe cómo es mejor».

≈

Con pasos abiertos la mujer saltarina pregunta por el destino de Napoleón Mirabal, quien salió en un momento que ella se reprocha desconocer. El energúmeno acaba su plato y llama a la jeva de mala manera; pide más cerveza. La mujer reclama paciencia y respeto, él no tiene por qué hablarle así, «Coñazo». Daniel Beltrán saca una manija de billetes; pulgar e índice comienzan a jugar con la gomilla que aprieta papeletas. De aquí en adelante no hay música. Flota incisivo el ruidito seco del elástico contra papel moneda. La mujer no se acerca, desde ahí lo manda a freír tusas; da unas voces hacia la acera de enfrente. Su voz se hace paso hacia los tigres quienes al otro lado reactivan la música. Los tigres siguen el *London Calling* con las cabezas; uno de ellos llama la atención del Terror, quien es medio marido de la *chimoltrufia* que dice cualquier cosa señalando para adentro. Daniel ya está de pie, tirando los billetes encima de la mesa y repitiendo una ofensa, ahora con doble saña, hacia la mujer restante tras la barra; esta lo ignora mascullando cosas que tienen más que ver con la lástima que con la retaliación. Beltrán da cuatro pasos de borracho, la mirada caída, el bigote relamido desde la pastosidad de la boca que es vertedero. El Terror cruza la calle, de la camisilla rojo fuego sale una cadena de oro con un san Miguel entre el pelo en pecho; viene flanqueado por tres chamacos. La mujer desaparece del ámbito dejando saber que Daniel Beltrán es un *mamagüebo*, un *singafiao*, un *bolsatriste*. El Terror tiene que mandarla a callar. Con tres dedos estirados el malón empuja a Beltrán hacia la malla ciclónica forrada de un verde del que sobresalen flores amarillas. Ya no hay sol. Lo que ciega a Daniel es una camioneta con las luces altas. El Terror lo coge por la quijada. «Bacano usté no es de por aquí». El tono pone lo dicho entre la pregunta y la afirmación. El Terror casi lo despacha invicto, con las advertencias que recibe el borracho impertinente, pero Beltrán, presa de la acidez, vomita a los pies del tigueraje, ensuciando los Converse azul marino del Terror, quien lo suena con un par; luego los panas le dan una pela, le rebuscan los bolsillos y lo dejan en la prángana.

Daniel espera días a que bajen los moretones. Todo el mundo excepto el niño se traga el cuento del atraco. Doña Ana consigue unos miles de pesos prestados con los que el hombre compra un pasaje de ida y arranca para Nueva York.

Don Ernesto, el hombre de la funeraria, tiene brazos y manos de pigmeo.

Jonás Marthan queda sin balance; se acerca al negrito de bigote lacio que balancea los botines en el asiento. Don Ernesto se pone de pie con un salto y avanza hacia el muchacho con la mano extendida. La torpeza en los intercambios ralentiza las introducciones. Marthan deja saber que tendrían que esperar a que el teniente baje los reportes; asegura que el *release* ya está tramitado. Don Ernesto ofrece un café. Jonás en principio no quiere ir a ningún lugar con ese hombre pero la curiosidad es más. Informa al sargento del día en dónde estará por si Agramante vuelve preguntando por él.

Don Ernesto en las manitas lleva anillos de plata con piedras verdes y tres cadenas en el pecho, la más grande con una medalla del Cristo Redentor. Jonás, nervioso, regresa a una tarde de circo en Plaza Cataluña, no desembocando en La Rambla sino por la Portal del Ángel. Fue la última tarde que salió con Dora, quien confesó tenerle pavor a los enanos. Dora y la boca brillante y madura, ahora comparada con la mordida de Luzmar.

Y mañana tendría que regresar a Barcelona. No es que odiase la isla, pero aprendió a mantenerla lejos. Jonás siente las cosas escapar sin rumbo. Años atrás se hubiese quedado en Santo Domingo dos días más para llevarse a la Luzmar entre los pies. Ahora no va a despedirse siquiera; ahora acompaña el café con un enano e inevitablemente tendrá que seguir hablando sobre las cosas de su padre. Llegan a la cafetería. Don Ernesto ofrece asiento. Jonás observa al caballero empinarse en el mostrador, interrumpir a una señora de rolos que sintoniza una novela frente a una batea de plátanos verdes. Sin ponerle azúcar al café don Ernesto quiere saber de dónde viene Marthan. El doctor responde dando domicilio exacto, también informa profesión. El enano dice que el dato confirma sus sospechas porque a Jonás de lejos se le nota. Marthan no quiere saber qué y don Ernesto no lo explica; además, tiene la delicadeza de abstenerse acerca del proceso al que sometería el cuerpo de Beltrán. Habla, en cambio, de la hija muerta. «Hoy hacen, déjeme ver, ¿cuatro años?». Jonás se encuentra en evidencia y dice sentir la pérdida. El hombrecito sigue hablando, añade que él también lo acompaña en el sentimiento. La hija, recién casada, sucumbió ante una enfermedad a la que ellos, su familia, con tesón y cuidado, habían podido sacarle algo de tiempo extra. «¿Cómo era la enfermedad?», pregunta Marthan alargando el tema, sin quitar los ojos del reloj de oro, del guillo en la otra muñeca; también pregunta por el marido de la occisa. Don Ernesto, haciendo sonar la lengua contra un diente también dorado define el mal de la muchacha: supuestamente ella era enana por dentro, pero por fuera tenía el cuerpo entero, normal. «Ajá», dice Jonás, mirando hacia detrás del mostrador, la mujer inmensa y grasosa pelando plátanos, siguiendo el desfase en los labios de los actores de la telenovela brasileña. Don Ernesto completa, «Ella no dejó nunca de crecer y el cuerpo de adentro se le quedó atrás; no bombeaba sangre a todos los lugares... *Latido infante.* Se rumora que fue descubierto durante las investigaciones médicas de los nazis durante la guerra, *Kinder Schlagen* es el término en realidad». Respira de golpe; un taco le cierra el paladar. Escupe en el vaso y recuerda al marido de la hija, un pata *pouelsuelo.* «Ese hombre no tenía *concegto*». La conversa se torna infranqueable. Con discreción don Ernesto habla del efectivo. Jonás se excusa y saca unos billetes sujetos con una gomilla ancha, de color bronce quemado, que llama la atención de don Ernesto, quien verifica una cifra ante la duda del doctor.

La orden de Sang Yang es acompañar al teniente hasta el despacho de Rossana pero Rojo Agramante lo para en seco. Aunque el chino estuviese conectado con Tiradentes, existe entre ellos una cuestión de rango. El cadete cede comentando algo acerca de la actitud del capitán, de su cualidad invariable, justificada por años y esquemas de corrupción.

Rojo se toma su tiempo. Busca un baño y se lava las manos. El espejo no le devuelve nada especial. El miedo amarga pero lo que hay es lo que hay. Cifra esperanzas en el hecho de que en este asunto todos tienen algo que temer. Desde esta plataforma se lubrica la maquinaria que complace favores por un lado, que cierra caminos, que empuerca reputaciones. «La corrupción atenta contra la memoria histórica de los pueblos». Rojo recuerda las clases de Moral y Cívica en la Academia Naval. Escupe. En aquel tiempo soñaba con diseñar goletas y canoas. Poco después de graduarse prendía fuego a las yolas que incautaban a los organizadores de viajes ilegales. Se dice que va a bregar con esto. Restriega el pañuelo mojado por la costra de la nuca. Lo desecha. Entra al ascensor de servicio y pulsa el botón correspondiente.

Flavia y Lubrini no logran concluir nada alrededor del suicidio. Regresando al procedimiento funerario recuerdan haberle dado la razón al hijo. Conociendo a Marthan, es obvio que actúa guiado por una partitura.

Nada más alejado de la realidad.

Esta vez Jonás trabaja por impulsos que, aunque controlables, obedecen a un sistema de necesidades internas. Se deja invadir por el ansia. Verifica con el sargento del día. No, Rojo Agramante no lo ha procurado. El hombre responde con indiferencia, está de lo más entretenido escuchando la historia de otro militar que habla de un negocio: ese Día de Reyes se disfrazará para la comparsa anual del Cuerpo de Bomberos. Jonás da dos pasos para no perderse el asunto. El sargento toma el remoto, consigue un programa de variedades; inquiere:

—¿Y cómo *conseguites* esa picada, Febronio?

—Al tipo que se *vetía* de Baltasar *lo matán*.

—Diablo. Vele, que eso *azara* mano.

—Cállate. Mil peso son mil peso.

Cauto, el doctor se vuelve a la sala de espera. No se sienta jamás. El ataque de pánico llega pero Jonás, con treinta y tres años, comprende que no vencerá estos espasmos de miedo; no hay porqué deshacerse de ellos, hay que asimilarlos, bregar desde ese temblor, desde el aguante. Es el deseo quien aguarda. El dolor o la tristeza están para el vivo. Recurre al argumento de su cuerpo: se siembra de talones, estira las rodillas, distribuye aire en el torso y pone en su puesto al hombre ordinario para dar paso al bosquejo que se ha formado mediante un ascetismo propio de seres propiciadores de cosas y eventos. Si el destino está definido o no, es superfluo. Un hombre puede inmiscuirse en el día a día, alterarlo. Fue lo único que su padre pudo mostrarle.

Flavia mira el reloj y habla de su vuelo. Lubrini se ve en la obligación de aceptar quedarse en el apartamento de Los Molinos por unos días. Total, regresar a lo de Miky no tiene sentido. Flavia trastea el fondo de la cartera con un cigarrillo apagado en el centro de los labios. Encuentra fuego y una tarjeta de presentación del doctor Daniel Beltrán. Es propicio rememorar cómo Beltrán reorganiza su vida al regresar de Nueva York. La década de trabajo negrero, la tenacidad, la constante sensación de saberse pústula, ciudadano de segunda clase en la metrópoli ajena, marcaron por dentro; por fuera la postura era impecable. De vuelta a Dominicana impartió clases en la Universidad Autónoma, se destacó hasta lograr permanencia; a la par, estableció una práctica rentable. Fue fiel a la consigna de no hablar de política o deportes. Completó dos maratones. Encontró la manera de poner a los abuelos de Jonás en una capilla decente en el Cementerio Cristo Redentor. La culpa no llevaba a parte. El asunto era cumplir. Se encargaría del proyecto Daniel Beltrán. Del hombre propio que estaba destinado a ser.

Más de una noche, ante el esporádico trago de ron y la fumada, gustaba de imaginar a Napoleón preguntando por sus razones; lo pensaba iracundo ante la noticia de que el Daniel Beltrán sentenciado por Mirabal al fracaso, lograba mantenerse incólume ante una conducta. En verdad no era así. El esperado encontronazo con la autoridad de Napoleón Mirabal no se dio nunca. Ni siquiera cuando Beltrán aceptó el puesto en la caduca Oficina Nacional de Transporte Terrestre; mucho menos cuando se vio agobiado por los cargos de corrupción en su contra. Durante ese trance, el consuelo de Daniel era pensar en Napoleón Mirabal cumpliendo su venganza, aunque para el presidente el destino del doctor no tenía peso. Podría decirse que la segunda y última posibilidad del encuentro fue estimulada por Daniel y su entrometimiento en la masacre de las Dunas. La muerte del senador trastornó rutinas y fidelidades. Beltrán se vio sin salida; tuvo que responder. De súbito quedó yermo. Fue testigo de los tentáculos de la narcorrupción. Entendió que una cosa era saber, por segunda mano, que existía; lo otro era convivir con ella. Acogerla.

≈

Sin dejar de hablar el coronel Rossana da los toques finales a unas canastas navideñas que repartirá entre generales. Diestro, manejando tijeras y cintas rojo brillo, hace pausas para escuchar las justificaciones de Tiradentes. Gideon se abstiene de hacer comentario; incluso mascula ante el ofrecimiento de un vaso con dos dedos de whisky. Rossana no tiene que insistir. Hace poco, mientras la resaca cedía en el baño de su oficina, Gideon Ilsset juró no beber al menos por un tiempo largo. Ahora extiende el fondo pesado del vaso hasta hacerlo sonar contra el de Tiradentes. Rossana levanta el suyo detrás del escritorio. Coloca las manos en la espalda baja y mira aprobatorio los penachos de fulgurante papel de estraza. No es una buena escena. No puede serlo.

Rojo Agramante espera hostilidad y sin embargo es recibido con el trago del doctor, quien cree haberse salvado cuando ya Rossana le sirve otro. Esta vez el brindis lo propone Tiradentes. Gideon se moja los labios arrastrando algo del licor y sin tragar asegura que *aquello* está listo. Con la tijera abierta y un juego de dedos el coronel plisa una cinta —deslizando presto hacia el cabo— que regresa hecha bucle a la garganta de la canasta. A Rojo le molesta la destreza exhibida por el hombre de uniforme gris perfecto y zapatos de charol reservados para oficiales de superior rango. Tiradentes habla para donde Agramante.

—¿Y entonces Rojo?

Ante el silencio del hombre Rossana le ordena pararse en atención. Gideon siente vergüenza ajena. Juega a nivelar el líquido amarillo quemado por los contornos del vaso. Rojo alcanza a componer una palabra pero Tiradentes se le va por delante. «Qué clase de cojones Rojo». El teniente nota que el insulto contiene su cuota de morbosidad. Tiradentes comenta el caso de un capo boricua de apellido Agosto. Se da un trago y levanta el vaso; Rossana presenta la botella; Tiradentes deja que le sirvan y deja saber que el juicio que radio bemba comenta era una farsa. Gideon quiere saber por qué. Tiradentes lo atesta con la mirada. Rossana, alejado de las manualidades, ahora de piernas abiertas y con la mitad del culo soportada en un estante de caoba, opina que la ingenuidad del país no tiene límite. Se sabe que Agosto tiene conexiones con militares y políticos y sin embargo en el juicio declaran únicamente las mujeres con las que el tipo transó a través de prendas, *penthouses* y cirugías estéticas. Un doctor llamado a declarar habló de más, señaló a presentadoras de televisión, cantantes e incluso dos o tres chamacas de tambaleantes apellidos que con prisa inusitada pierden contexto y caché.

El ejemplo de Agosto sirve a Tiradentes para confeccionar una teoría, para que el alférez de navío Rojo Agramante comprenda. Es innecesario pretender. Están allí y él lleva la desventaja. Tiradentes y Rossana no tienen por qué jugar y Rojo tiene todo que perder. En este negocio los militares toleran o desaparecen; ningún uniforme va a atreverse contra el trasiego. ¿Cuáles son entonces las intenciones de Rojo Agramante? Rossana, de maricón para allá, insulta a Gideon a manera de broma para que termine el trago. El doctor, con una sonrisa incómoda, devolviendo la farsa, dice estarlo llevando suave porque al día le queda. El teniente está parado en atención como un cadete, sacando demasiado pecho, todo el cuerpo reposando en los muslos. Empieza a sudar. La idea de que en cinco minutos puede estar preso o de servicio en la frontera lo pone a pedir cacao. Tiradentes remata, «Esta noche se resuelven cuerpo y entierro», acompaña la pausa con un trago corto, «...y el sábado preséntese a la parada de guardia en la base de Sans Souci. *Usted* me perdona pero lo tengo que meter preso un mes. Es lo mejor para todos y sobre todo para usted, Agramante. Es un favor que se le está haciendo». Rossana se empina hasta colocar el nalgatorio en la totalidad de la madera, «Párese en parada descanso, teniente». Rojo solicita permiso para hablar. Tiradentes recomienda cautela. Con el vaso en las manos el teniente sentencia:

—No va haber entierro.

Gideon reacciona como si se hubiese mordido la lengua. El teniente rectifica, «El hijo está allá abajo y la gente de la funeraria también. Se les va a entregar el cuerpo. Al parecer van a donarlo a la universidad». En Tiradentes no se mueve músculo. Rossana busca alguna opinión en la cara plana, la frente cerrada por un cerquillo cenizo. «Bueno», dice al fin.

Tiradentes medita el asunto por cinco minutos y mirando a Gideon se delata. «Pueden comérselo si es su gusto. Me quedan quince minutos en este edificio. Para cuando yo salga el cuerpo no estará. Déjenme saber que entendieron». Rossana se pone definitivamente de pie, enfrentando a Rojo, quien retoma la posición, saluda y da media vuelta. Gideon lo sigue inmediatamente después de decidirse con el trago.

Daniel Beltrán salió dos veces del despacho para fumar en el balcón que miraba a la Bolívar. En frente, una mano de piedras, grama y palos de almendra se abría frente a él para llegar al Caribe. Cuando Daniel era niño, en esa área de la ciudad estaba el zoológico. Una tarde de lluvia esperó por horas una guagua que los llevaría a la Duarte con París y de ahí un carro público Venezuela, para cruzar el puente hasta el Farolito. Años más tarde visitaría el lugar ya convertido en un parque de diversiones, con superochos, casas del terror y carritos chocones. Lo visitó con el niño y la esposa días antes del suceso.

Respondió preguntas de Flavia referentes a planes y proyectos. Pudo haberse burlado del tema o utilizarlo para desde ahí ponerse a teorizar internamente en torno a la decisión última. Estaba enfrentando problemas para decidirse. Dijo que sí a todo lo que propuso la secretaria. Entró a la oficina y tomó la pistola. Salió sin decir para dónde iba con el archivo de la masacre bajo el brazo.

Siempre con tres escaleras de distancia el doctor busca conversación con un hombre que no sabe dónde ponerse. Se nota en la manera en que abre y cierra el torso desde los hombros y la repentina ausencia de interés en todo lo humano. Cuando llega el momento de la discusión en que Agramante se ve forzado a defender, dice, en son de respuesta, *«Dese* rápido Gideon... el hijo del hombre está allá bajo. Finiquitemos». El doctor quiere comprender que interactúa con un niño reprendido. No lo sigue. Hace una derecha en el primer pasillo y busca el ascensor. Alejándose dice, «Lo espero en la morgue por si el hijo quiere darle una última mirada al cadáver».

≋

Beltrán maneja por el Malecón, cogiendo desde Manresa kilómetros para abajo: la pista de Go-Kart, Metaldom, el

Centro Cervecero La Lata con Lincoln, Máximo Gómez
con Güibia, Los Obeliscos, las putas frente al restaurante Habana Libre, los condones usados a los pies de
Montesinos (el que lleva la fuerza del bostezo), la Avenida del Puerto y sus cruceros atascados por la basura
que dragan del Ozama, el Ozama mismo sobrepasado
por un puente que conecta lo colonial con el atraso, y
luego para joderse, la Avenida España, Los Molinos, el
Club de Oficiales de Sans Souci, la Escuela Naval, el
Acuario Nacional, Aqua Splash, El Faro, la bifurcación
que decide si Charles de Gaulle o la Autopista Las Américas. De ahí en adelante la pestaña de mar siempre azul
tornasol Mediterráneo Caribe. Del otro lado se matan
dominicanas contra dominicanos. La Antillanía bella,
trágica, terrible. Para Beltrán la ciudad es esto, aquí.
Nunca se reprende por los años caminados afuera, si
bien Nueva York fue duro, allí aprendió el arte de la
contemplación. Cerca de la muerte distingue los colores
alternándose a través del tiempo, una escritura Caribe
buscándose siempre en otro lado.

Poco antes de las cinco de la tarde Beltrán aparca en uno
de los tantos estacionamientos detrás de El Faro. Descubre que una Land Rover con placas oficiales lo persigue. Finge normalidad pretendiendo un cigarrillo que
falla en encender... siempre mirando fijo por el retrovisor. La puerta de la patrulla se abre; la mitad de un uniforme se acerca. Deja el cigarrillo apagado y saca la pistola del cinto; se le zafa un tiro en la maniobra.

Rojo Agramante intercambia palabras con el sargento
del día, quien le pasa un sobre manila con formularios.
El doctor se acerca presto; don Ernesto queda abandonado en la salita. Agramante, totalmente de frente, entrega los documentos y un lapicero.

—Si quiere puede firmar aquí o allá abajo. No sé si le interese ver el cuerpo.

El doctor pregunta por dónde; sin dilación Rojo toma por las escaleras. Jonás se entretiene buscando la cadencia del teniente para luego perderla. Dan con un pasillo semioscuro, al fondo, una doble puerta ahumada.

Gideon devuelve las buenas noches preguntando por los documentos. Jonás firma sin leer. Silencio. Luego de revisar por encima los papeles, el forense propone:

—¿Usted quiere ver?

Rojo tiene que responder por el hijo.

—Abra.

El teniente espera en Marthan el gesto delatante. Gideon se coloca unos guantes y baja un cierre. Separa un tanto el plástico a la altura del rostro. Marthan no vacila e inclina el suyo, más para oler que para besar. Cierra los ojos y aspira hondo. Se deja ir por un minuto. Lo rescata el teniente quien pregunta por el procedimiento. Jonás explica quién es don Ernesto. El forense pide que acerquen el vehículo por la parte trasera del edificio.

Jonás Marthan baja las escalinatas seguido del enano que señala una camioneta en el estacionamiento. La carroza tiene un caparazón de fibra de vidrio pintado de negro; letras blancas en caligrafía estilo Palmer que leen, *Funeraria Rosama*. El alivio se extiende hasta Flavia y Lubrini, quienes reconocen en el movimiento los pasos que darán fin a este trance. La Irizarry se acerca hasta el doctor y sin que le pregunten habla de su vuelo, que sale más tarde. Marthan no está para bregar con incongruencias; estrujado, ordena, «Si tú tienes que irte, Flavia, vete». Ella no se lo toma a pecho.

—Es que yo quiero verlo.

—No se va a poder. Se acabó.

Don Ernesto pregunta por dónde. Ya un poco alejados comenta al chofer del funeraria-móvil lo rara que es esa gente.

La actitud de Rojo Agramante deja claro que no hay posibilidad de postergar el asunto; espera alerta alguna reacción en el doctor Marthan pero el momento de rasgar vestiduras y darse golpes en el pecho no llega. Los hombres se unen a Gideon, quien espera al lado de la camilla mientras el vehículo de la funeraria se acercaba en reversa. El enano sale de un brinco, saluda con un gesto rápido al forense y abre la compuerta. Jonás ayuda a movilizar el cuerpo, luego se acerca a don Ernesto, le falla el habla de nuevo:

—Entonces... ya usted desde aquí...

Don Ernesto pide permiso e intercambia un juego de papeles con Gideon, quien por poco estalla de la risa ya que los enanos y los payasos lo ponen nervioso. Jonás busca un pañuelo pero no tiene suerte; los ojos, secos, arden.

De a poco se hace noche. Gideon se excusa, dice que estará en su oficina y rápidamente desaparece hacia el pasillo. Agramante ofrece acompañar a Jonás hacia el estacionamiento. Rojo se queda sin saber todos los detalles; el hijo ahí, a merced del látigo luctuoso. Algo sabe el teniente acerca de la muerte, del flagelo de la culpa regresando.

Fieles a las formas, dicen adiós apretando las manos y dejando saber que están a la orden uno del otro aunque no tendrían que verse. El doctor se aleja presuroso hacia el vehículo hasta el que se acercaron otras dos personas. Agramante empieza a formular la mentira que dirá en su casa, terminará inventando un viaje o algún servicio especial para que la madre no se entere que está preso. El sonido de una ignición y los cambios de luces del Land Rover llaman su atención.

Lubrini dice que no hay problema, lo más fácil es conseguir un taxi desde ahí pero Jonás insiste. Calles llenas de colores y juerga navideña; la gente calentando los motores para el gran evento. Las Pascuas son lo mejor, Nochebuena y luego el Cañonazo, fiesta hasta el Día de Reyes, el país paralizado por tres semanas de gozadera. Hacen el camino en silencio. Al final Marthan se disculpa por el exabrupto de hace poco. Flavia entiende, asegurando haberle tomado la palabra con aquello de la invitación a Barcelona. «Ya veremos después de San Francisco». Jonás asiente a sabiendas de que no van verse. Antes de desmontarse, Lubrini dice que estará quedándose en casa de Flavia. El doctor, despectivo, dice «Claro...» y desaparece agotando la avenida.

Calcula como puede: regresaría al hotel por el Malecón porque mañana tomaría directo Las Américas para llegar al aeropuerto. Se dilata como de costumbre en los obeliscos. Es su manera de decir adiós. En lo adelante Santo Domingo será la gran lápida para lamentar a Beltrán.

Atraviesa el lobby del hotel hasta llegar a recepción. La muchacha detrás del mostrador confirma que no tiene mensajes. Reitera que estaría haciendo *check out* temprano, que le enviaran el desayuno y la cuenta cancelada. Abre la puerta de la habitación y es recibido por el silencio. A oscuras se sienta en el borde de la cama y descubre que una parte de sí albergó la idea de que la mujer estaría esperándolo en la habitación, desnuda y dispuesta. Se abre la camisa que ahoga; una mano quieta comprueba el torso de fiebre. Va deslizándose hasta colocar la cabeza en el lecho consciente de que no podrá llorar o dormir.

≋

El teniente se acerca al Land Rover por el lado de pasajero. Tiradentes ha cambiado, es quizás el whisky o la conclusión de las cosas. Exhibe el triunfo sin remordimiento.

—Bueno, nos vamos a ver la cara pronto entonces, teniente.

Rojo dice «Sí señor» sin declarar la derrota. Halla un tono cómplice, desde ahí solicita permiso para hablar.

—La tercera huella es de usted, comandante. Usted estaba en el vehículo de Daniel Beltrán cuando se mató, o lo mataron...

Tiradentes lo interrumpe con la pequeña carcajada. Sang Yang, del lado del chofer, aprieta la palanca de cambios. Agramante insiste:

—Ya nada puede hacerse. Nunca se pudo hacer nada en realidad, usted lo sabe y yo también. Es más curiosidad que otra cosa.

Tiradentes se saca los lentes. No tiene necesidad de mentir. A Rojo le basta con el silencio para formular dos teorías grotescas que apuntan al edecán de Tiradentes. La simulada indiferencia delata a Sang Yang. Como él mismo años atrás, el chino había actuado movido por la promesa de una canongía. Rojo busca la cara del muchacho pero este no devuelve la mirada. El capitán interrumpe, «Teniente, limítese. Hágase un favor». Rojo ve las formas del triunfo ocupar el rostro de Tiradentes; con un poco de asco compadece al cadete. Da un paso largo hacia atrás y saluda. «Recuérdese del sábado», dice Tiradentes, sonriendo antes de partir.

≈

El sol no sale aún cuando la campanilla de la puerta llama tres veces. Las maletas listas; la habitación impecable, alterada en lo mínimo por la arruga en forma de feto que deforma la cama. El doctor abre la puerta sin devolver los buenos días que la mujer entrega junto con la bandeja y los periódicos. Ella quiere jugar un poco y pretende no conocerlo, lo trata como un huésped más. Él la despacha con un billete de cien. La sonrisa se borra del rostro de Luzmar. Quiere llamarlo por su nombre pero se contiene. Marthan insiste con la papeleta.

—Tenga. Y por favor avise que necesito un *bellman*.

Luzmar comprueba que la arrogancia no tiene límites y lo manda a la mierda, una, tres veces. El hombre amenaza con reportarla. Dueña de sí le arranca el billete sugiriendo, *«Go ahead andget mefired... grant me thefuckingpleasure»*. Justo antes de salir dando un portazo simula una ofensa con el dedo del medio. Llora como nunca en el ascensor de servicio; va a dejar ese trabajo. «Estoy hasta las tetas de bregar con gente».

Lubrini agotó la noche al lado del teléfono. Flavia le advirtió que la línea aún estaba a su nombre y que no quería problemas pero se fue hacia el aeropuerto convencida de que la había cometido. Lubrini llamó a varios lugares del planeta, sorprendiendo fantasmas, excusándose por el cambio de hora. A Puerto Rico marcó a ver si conseguía a Helfeld pero ella hacía rato cumplía la promesa de desaparecer. Poco antes de la mañana, ya bajo el influjo del aburrimiento, la merma y las cervezas, se dispuso a cerrar con las dos llamadas que había dilatado. Miky levantó al primer timbrazo.

—Soy yo, loca, Lubrini.

Miky aseguró estarle esperando. Que no olvidara traer materiales. La otra llamada fue al teléfono de Daniel Beltrán. Escuchó, por última vez, el tono adusto que ordenaba dejar un mensaje después del tono. Lubrini precisó palabras. De un zarpazo desconectó el teléfono. Comprobó el vacío. Con el cable en la mano salió dejando como de costumbre la puerta abierta. Afuera, el Caribe era posible.

Viejo San Juan-Chicago
Santo Domingo-Chicago
Agosto 2010-junio 2014.